QUARTIER D'AFFAIRES

Français professionnel et des affaires

Cahier d'activités

DELPHINE JÉGOU

MARI PAZ ROSILLO

CLE
INTERNATIONAL

WWW.CLE-INTER.COM

Crédits iconographiques

page 7 (de gauche à droite) : © Nmedia/Fotolia.com ; © ludcap/Fotolia.com – page 30 (de gauche à droite) :
bayberry/Shutterstock ; Wesley Silva de Souza/Shutterstock ; AlexRoz/Shutterstock ; Andrey Laschev/Shutterstock ;
Kitch Bain/Shutterstock – page 52 : mariesacha/Fotolia.com – page 81 : arsdigital/Fotolia.com –
page 89 (de gauche à droite) : © Laz'e-Pete/Fotolia.com ; © Style Media & Design/Fotolia.com –
page 91 (de haut en bas) : © Beboy/Fotolia.com ; © whiteisthecolor/Fotolia.com ; © Bokica/Fotolia.com

Direction de la production éditoriale : Béatrice Rego
Marketing : Thierry Lucas
Édition : Sylvie Hano
Couverture : Dagmar Stahringer
Mise en pages : AMG

© CLE International / SEJER, Paris 2014
ISBN : 978-2-09-038664-6

SOMMAIRE

Au séminaire

 LEÇON 1

- Un séminaire
- Une envergure
- Une ambiance de travail
- La bonne marche
- Ludique
- Team building
- Team development
- Incentive
- Stimuler
- Récompenser
- Primordial(e)
- Ponctuer
- La synergie

- Lancer un produit
- À long terme
- Commercialiser un produit
- Apporter des améliorations
- Performant(e)
- Coûteux / Coûteuse
- Une ergonomie
- Un système d'exploitation
- Se plaindre
- En profiter pour

- Un usage modéré
- Avoir les moyens
- Un benchmark / Le benchmarking
- Le cœur de cible
- Une étude comparative

- Être doté(e) de
- Un écran tactile
- L'indice DAS
- Une donnée
- Positionner
- Gérer une clientèle
- Le BtoB
- Le BtoC
- Un particulier ≠ Un professionnel
- Un choix stratégique
- Être touché(e) par
- Être dépassé(e) par
- Cerner des besoins
- Un pôle
- Un roulement

 LEÇON 2

- Un atelier
- Motiver
- Rude
- Une stratégie de lancement
- La force de vente
- Cibler
- La fidélisation
- Sous-estimer
- Une enquête de satisfaction
- Un stand
- Une commission
- Être investi(e)

- Le plan d'action commerciale
- Établir un plan
- Concurrentiel(le)
- Rentable
- La mise en avant
- Le placement
- Un achat en ligne / par correspondance
- Qualifié(e)

LEÇON 3

- Un ajustement
- Une émulation
- Notable
- Un process
- L'agilité
- L'innovation
- Préalable
- Postérieur(e)
- Clarifier les enjeux

- Se projeter
- La clôture
- Fructueux / Fructueuse

- L'engagement
- Être leader
- Ravir une place
- Relâcher ses efforts

- Relever un défi
- Ressouder des liens
- Une ambiance
- La cohésion des équipes
- Jouer le jeu
- Créer des tensions
- Être mis à l'écart

Compréhension de l'oral

1. Écoutez l'enregistrement et répondez.

a. Qu'a fait l'entreprise avant de commercialiser son produit ?

....

b. Citez les deux caractéristiques du produit ?

....

c. Aujourd'hui qui sont les nouveaux clients de l'entreprise ?

....

d. Comment l'entreprise a réussi à toucher plus de public ?

....

e. Comment l'entreprise a-t-elle développé sa communication ?

....

f. L'entreprise a compris que :

☐ les réseaux sociaux n'avaient pas d'influence sur les ventes.

☐ les réseaux sociaux avaient une grande influence sur les ventes.

☐ Internet et les réseaux sociaux avaient une grande influence sur les ventes.

Vocabulaire

2. Associez le terme à sa définition.

a. Le BtoB, c'est •

b. Le benchmark, c'est •

c. La synergie, c'est •

d. Une ergonomie, c'est •

• **1.** la facilité d'utilisation d'une tablette.

• **2.** travailler en commun pour optimiser les compétences.

• **3.** l'observation et l'analyse des performances.

• **4.** l'ensemble des relations commerciales entre deux entreprises.

3. Trouvez les mots qui correspondent aux définitions.

Horizontalement

a. Clientèle visée par le produit.

b. Cher.

c. Motiver les acteurs d'une entreprise.

d. Ensemble des modifications apportées à un produit pour le rendre plus performant.

e. Identifier les besoins (verbe).

Verticalement

1. Réunion de l'ensemble du personnel de l'entreprise.

2. Démarche d'observation et d'analyse des performances ou des pratiques.

Grammaire

4. Réunissez les phrases comme dans l'exemple. Utilisez la comparaison.

• *Le vélo rouge a 8 vitesses. Le vélo bleu à 10 vitesses.* → *Le vélo rouge a moins de vitesses que le vélo bleu.*

a. Le séminaire de Paris a réuni 180 personnes. Le séminaire de Munich a réuni 195 personnes.

b. Le nouveau sèche-cheveux a trois vitesses. L'ancien sèche-cheveux avait 2 vitesses.

c. Notre entreprise travaille avec les entreprises. Votre entreprise travaille avec les entreprises et les particuliers.

d. 98 % des clients sont satisfaits aujourd'hui. L'année dernière 98 % des clients étaient satisfaits.

5. Conjuguez les verbes au passé composé. Attention à l'accord du participe passé !

a. Les améliorations que l'entreprise .... (*apporter*) sur le produit étaient nécessaires.

b. Le bencharmaking que le service commercial .... (*demander*) .... (*permettre*) de lancer un produit moins cher.

c. La cohésion d'équipe .... (*se renforcer*) pendant et après le séminaire.

d. Les produits que nous .... (*vendre*) sont destinés au grand public.

e. Les activités qu'ils .... (*faire*) pendant le séminaire .... (*favoriser*) la synergie.

f. Vous .... (*avoir*) beaucoup de travail pour préparer le séminaire.

Compréhension écrite

6. Lisez ces deux descriptions de produits et répondez aux questions.

L'autonomie est de 10 heures. Elle permet d'éviter de recharger le téléphone pendant la journée. L'appareil photo doté de 5 millions de pixels permet de réaliser des photos d'une qualité exceptionnelle. Les 16 GB permettent le stockage de nombreuses données (photos, musique, applications...).
Il existe en 2 couleurs.
Garantie de 12 mois.
139 euros.

Téléphone A

L'autonomie est de 10 heures. Elle permet d'éviter de recharger le téléphone pendant la journée. L'appareil photo est performant (6 millions de pixels) et permet de faire des photos de qualité. Vous pouvez stocker un maximum de données (photos, chansons, vidéos...) grâce aux 16 GB de l'espace de stockage. Ce modèle est disponible dans différents coloris : rouge, bleu, vert, noir et blanc. Garantie de 2 ans avec remplacement immédiat de l'appareil. 169 euros.

Téléphone B

	Vrai	Faux
a. La capacité de stockage du téléphone A est plus grande que celle du téléphone B.	☐	☐
b. Le téléphone A a plus d'autonomie que le téléphone B.	☐	☐
c. Les deux téléphones ont une capacité de stockage équivalente.	☐	☐
d. Les photos du téléphone A sont de meilleure qualité que celles du téléphone B.	☐	☐
e. Le téléphone B est disponible en plus de couleurs que le téléphone A.	☐	☐
f. Le téléphone A est aussi cher que le téléphone B.	☐	☐
g. La garantie du téléphone A est plus courte que celle du téléphone B.	☐	☐

Compréhension de l'oral

1. Écoutez l'enregistrement et répondez.

a. Sur quoi vont travailler les personnes réunies en atelier ?

☐ Les actions à mettre en place pour augmenter le chiffre d'affaires.

☐ Les actions qui ne fonctionnent pas.

☐ Les actions en place qui ne plaisent pas aux clients.

b. Quelles sont les suggestions proposées ?

☐ Faire une campagne promotionnelle.

☐ Baisser les prix.

☐ Faire du placement de produit.

☐ Développer la publicité.

☐ Mettre à jour le site Internet.

☐ Faire gagner des produits.

☐ Faire un benchmark.

☐ Embaucher de nouveaux commerciaux.

c. Quelle proposition n'est pas à l'ordre du jour ?

☐ Faire apparaître le produit dans des séries télévisées.

☐ Embaucher un nouveau stagiaire.

☐ Faire des cadeaux aux clients quand ils achètent des produits.

d. Quelle proposition est une très bonne idée ?

☐ Faire un benchmark.

☐ Mettre à jour le site Internet.

☐ Utiliser davantage les réseaux sociaux.

e. Pourquoi ?

☐ Parce que ce n'est pas cher à réaliser.

☐ Parce que c'est facile à mettre en œuvre.

☐ Parce qu'ils ne l'ont jamais fait.

☐ Parce qu'ils ne regardent pas assez les offres de la concurrence.

Vocabulaire

2. Choisissez la bonne réponse.

a. Nous avons établi *un plan d'action* / *une enquête de satisfaction* pour définir les objectifs à court terme.

b. Pour la promotion, mettez en valeur *les placements* / *les caractéristiques* du produit face à la concurrence.

c. Les réseaux sociaux sont très utiles pour *fidéliser* / *embaucher* les clients.

d. Une stratégie de *lancement* / *satisfaction* est mise en place pour le nouveau produit.

e. *Une promotion* / *Une enquête* de satisfaction permet de connaître les besoins des clients.

3. Complétez le plan d'action commercial avec les mots poposés.

dépenses – cibler – chiffre d'affaires – court terme – objectifs – embaucher – placer – moyen terme

PLAN D'ACTION 2016						
....	**Actions**	**Calendrier**			**Budget**	
		....	....	Long terme	....	Recettes
Générer un .... de 400 000 euros	▶ .... un plus grand nombre de clients.		X		40 000	120 000
	▶ .... un nouveau commercial.	X			30 000	100 000
	▶ .... nos produits à la télévision.	X			50 000	180 000

▌Grammaire

4. Mettez les phrases au futur simple.

a. Le département des ressources humaines recrute un nouveau commercial.

....

b. Les employés du service marketing lancent une nouvelle campagne publicitaire.

....

c. Nous sommes en séminaire pendant trois jours.

....

d. Vous prenez l'avion pour assister au séminaire la semaine prochaine.

....

e. Les équipes mettent en place une nouvelle stratégie.

....

f. Le plan d'action définit les objectifs à atteindre.

....

▌Compréhension de l'écrit

5. Chaque phrase correspond à un des « P » (produit, prix, promotion, placement) de la règle des 4 « P ». Associez chaque phrase au P qui correspond.

a. Notre produit sera commercialisé en grandes surfaces, sur des sites d'achats en ligne. Il sera vendu par une équipe de commerciaux qualifiés.

b. Nous avons baissé le prix de vente du nouveau modèle. Maintenant, nous sommes moins chers que la concurrence, pour un produit avec des fonctions identiques.

c. Nous allons lancer une campagne publicitaire pour les fêtes de Noël. Nous offrirons une brosse pour tout achat d'un sèche-cheveux.

d. Notre tout nouveau sèche-cheveux est beaucoup plus puissant et silencieux que l'ancien. Il sera vendu dans un étui qui permettra de l'emporter en voyage avec vous.

Produit	Prix	Promotion	Placement
phrase ...	*phrase ...*	*phrase ...*	*phrase ...*

▌Production écrite

6. À partir du plan d'action commerciale de l'exercice 3, écrivez un texte de 160 mots pour expliquer les objectifs à atteindre et les actions mises en place pour y arriver.

....

....

....

....

Au séminaire

Compréhension de l'oral

1. Écoutez le dialogue et répondez.

a. Où a lieu le séminaire ?

....

b. Combien de temps va-il-durer ?

....

c. Compléter le programme de la journée de mardi.

▶ Départ : .... (heure)

▶ Activité de la matinée : ....

▶ 14 h 30 : ....

d. Quel atelier animera Maud ?

....

e. Que présentera Gladys ? Quand ?

....

f. Quelles activités de team building sont prévues pendant ce séminaire ? (2 réponses)

– ....

– ....

Vocabulaire

2. Retrouvez les 5 mots cachés dans cette grille horizontalement (de gauche à droite) et verticalement (de haut en bas).

S	I	O	D	S	I	A	T	A
O	C	T	I	F	D	R	E	T
U	H	A	S	E	V	K	N	E
D	S	O	C	M	I	U	J	L
E	T	Q	O	T	S	F	E	I
R	I	L	U	D	I	Q	U	E
S	P	S	T	A	N	D	S	R
E	H	Q	M	E	C	I	V	P
D	I	S	C	O	U	R	S	A

a. ....

b. ....

c. ....

d. ....

e. ....

3. Complétez les phrases avec les mots trouvés.

a. La cohésion est importante. L'équipe doit être ....

b. Un .... est un groupe de travail autour d'une activité.

c. Une activité .... est une activité divertissante, récréative.

d. Nous aurons un .... stand au salon de Munich.

e. Au début du séminiaire, le directeur fait un ....

Grammaire

4. a. Voici les différentes étapes de l'organisation d'un séminaire. Mettez les phrases dans l'ordre.

a. On nous a présenté les résultats du benchmark réalisé en début d'année et nous avons travaillé sur les résultats.

b. Nous nous sommes retouvés pendant trois jours.

c. Des ateliers de travail, des conférences, des activités ludiques ont permis au personnel de travailler dans une ambiance agréable et de repartir sur de nouvelles bases pour le lancement de la nouvelle voiture électrique.

d. Nous avons choisi une date stratégique pour réunir tout le personnel dans un endroit calme, loin de la ville.

1	2	3	4
phrase …	phrase …	phrase …	phrase …

b. Récrivez le texte en utilisant les articulateurs chronologiques proposés.

enfin – d'abord – puis – ensuite

....

....

....

Compréhension de l'écrit

5. Lisez le texte et répondez. Justifiez vos réponses.

Séminaire d'entreprise : une bonne idée ?

Week-ends à l'étranger ou en bord de mer, cours de cuisine, séances de karting... Les séminaires d'entreprises sont un grand classique, destinés à « ressouder les équipes ». Quand détente, visite et *farniente* côtoient réunions de travail et épreuves sportives, cela donne les fameux séminaires d'entreprises. Tous ne se ressemblent pas mais ils ont les mêmes objectifs : motiver les troupes et créer un esprit d'équipe. Lors des séminaires, salariés et managers apprennent à travailler ensemble, à se découvrir mais aussi à s'amuser.

Les activités proposées révèlent le caractère de chacun. « Les séminaires permettent de faire se rencontrer des salariés qui ne se connaissent pas toujours. L'ambiance y est détendue, il n'y a plus de hiérarchie pendant quelques jours », explique Vincent, inspecteur au Crédit immobilier de France (CIF) qui participe chaque année au « Def immo », grand raid sportif qui réunit toutes les filiales régionales du CIF. Entre visite des marais salants de Guérande, balade en mer et contrôle de chantier, Denis, chef du service RTE (gestionnaire du réseau transport d'électricité) de Nantes, voit ces séjours comme une manière de « sortir les équipes hors contexte ». « Les agents se découvrent autrement que dans le travail et partagent une expérience. », explique t-il.

D'après www.lentreprise.lexpress.fr

	Vrai	Faux
a. Un séminaire permet de remotiver le personnel d'une entreprise.	☐	☐
b. Pendant un séminaire, on ne travaille pas.	☐	☐
c. Les séminaires se ressemblent tous.	☐	☐
d. Pendant un séminaire, l'ambiance est détendue.	☐	☐
e. La hiérachie est moins forte.	☐	☐
f. Vincent participe rarement au séminaire.	☐	☐

Phonétique

6. Dites combien de syllabes vous entendez puis répétez.

a. Où sera commercialisé le produit ?

b. C'est la stratégie de lancement.

c. Notre produit sera vendu en janvier.

d. Quelles actions prévoyez-vous à court terme ?

Test

➊ Choisissez la bonne réponse ..... /3

a. Le benchmarking permet à une entreprise d'apporter :

☐ des performances   ☐ des synergies
☐ des améliorations

b. Un séminaire est l'occasion pour une équipe de renforcer :

☐ sa cohésion.   ☐ son ergonomie.
☐ son développement.

c. Le BtoC désigne les relations entre une entreprise et :

☐ d'autres entreprises.   ☐ les consommateurs.
☐ ses fournisseurs.

d. Un séminaire permet de travailler dans une ambiance :

☐ coûteuse.   ☐ ludique.   ☐ rentable.

e. La « règle des 4 P » réunit les P de « produit », de « prix », de « promotion » et de...

☐ publicité   ☐ placement   ☐ plan d'action

f. L'aspect ludique des activités d'un séminaire est :

☐ secondaire.   ☐ facultatif.   ☐ primordial.

➋ Mettez les verbes au futur simple. ..... /6

a. L'entreprise .... (*embaucher*) deux nouveaux commerciaux.

b. La campagne publicitaire .... (*permettre*) de toucher une cible importante.

c. Les dépenses .... (*être*) plus faibles que les recettes.

d. Vous .... (*voir*) les résultats à moyen terme.

e. Le chiffre d'affaires que ces actions .... (*générer*) .... (*atteindre*) 460 000 euros.

➌ Choisissez la forme correcte du participe passé. ..... /4

a. Les activités que nous avons ... étaient très amusantes.

☐ fait   ☐ faites   ☐ faits

b. Nous avons ... le chiffre d'affaires.

☐ doublés   ☐ doublé   ☐ doublées

c. Les idées que vous avez ... sont très bonnes.

☐ donné   ☐ données   ☐ donnés

d. La mesure que j'ai ... aura un effet positif à court terme.

☐ prises   ☐ pris   ☐ prise

➍ Lisez les informations sur le dernier séminaire de l'entreprise Buro+. Les informations sont-elles vraies ou fausses ? ..... /4

> ### Buro+ : séminaire 2014
> Le séminaire de cette année a rassemblé 210 employés. L'année dernière ils étaient 197. Les équipes ont travaillé et ont participé à des activités ludiques et sportives. Les différentes activités ont eu moins de succès que l'année précédente. Le discours du directeur était optimiste. Cependant les objectifs visés sont ambitieux. Le service marketing espère que grâce à la campagne publicitaire, le nouvel écran plasma se vendra mieux que le précédent modèle

	Vrai	Faux
a. Le séminaire a rassemblé plus de monde que l'année dernière.	☐	☐
b. Les activités ont eu moins de succès cette année auprès des employés.	☐	☐
c. Une campagne publicitaire pour un écran vient d'être lancée.	☐	☐
d. Grâce à sa campagne publicitaire, le service marketing espère vendre autant d'écran que l'année précédente	☐	☐

➎ Les phrases suivantes sont-elles vraies ou fausses ? ..... /3

	Vrai	Faux
a. Un séminaire permet de remotiver le personnel d'une entreprise.	☐	☐
b. Le benchmark permet de comparer deux produits.	☐	☐
c. On ne peut pas compter sur les réseaux sociaux pour fidéliser les clients.	☐	☐
d. Un séminaire sert uniquement à annoncer les résultats de l'entreprise	☐	☐
e. Le BtoC s'intéresse au grand public.	☐	☐
f. Il faut toujours organiser un séminaire à la même date.	☐	☐

Une commercialisation réussie

 LEÇON 1

- Un produit low-cost
- Un prix promo
- Un coût de revient
- Une barrière psychologique
- Ancrer dans les mémoires
- Le prix psychologique
- Succéder à
- À la tête de
- Le seuil

- Le commerce équitable
- Une réputation
- Un intermédiaire
- La matière première
- Un producteur / Une productrice
- Une coopérative
- La distribution
- Un organisme certificateur
- Un label

- Une filière
- Le cours
- La bourse
- Aligner ses prix
- S'amenuiser

- Les soldes / Soldé(e)
- Une liquidation
- Une offre promotionnelle
- Ponctuel(le)
- Sanctionner
- Avantageux / Avantageuse
- Occasionnel(le)
- Une revente à perte
- Abusivement
- Un prix d'appel
- Disponible ≠ Indisponible
- Une fraude

- Structurel(le)
- Conjoncturel(le)
- Une contrepartie
- Anticoncurrentiel(le)
- Un obstacle
- La fixation
- Le libre jeu
- L'abus de position dominante
- Entraver
- Prohibé(e)
- Restrictif / Restrictive
- Violer un accord
- Discriminatoire
- Sanctionner
- Civilement
- Pénalement

 LEÇON 2

- Le cross-canal
- Logistique
- Amont ≠ Aval
- Un approvisionnement
- Le stockage
- Se positionner
- Individualiser
- Un référentiel

- Collectivement
- Bio
- Une plateforme
- Un collectif
- Interactif / Interactive
- Une revanche
- Une centrale d'achats

- Un concept
- Récemment
- L'optique / Un opticien

- Adopter
- Un projet de loi
- Faciliter
- Une disposition
- Une association de consommateurs
- Obtenir gain de cause
- Une pratique anticoncurrentielle
- Arguer
- Une dérive
- La sécurisation

 LEÇON 3

- Une tablette tactile
- Volumineux / Volumineuse
- Effectuer une commande
- Un colis
- Dépendre de
- Disposer de

- Un drone
- Un engin
- Un entrepôt
- Semé d'embûches
- Un aléa
- Viable
- Un périmètre
- Démultiplier
- Un modèle économique
- Le fret

- Aérien(ne)
- Une promesse
- Dévoué(e)
- Une flotte
- La globalité
- Être palettisé
- Être en capacité de
- Un délai serré
- Réactif / Réactive
- Consciencieux / Consciencieuse
- L'acheminement
- Une palette
- Le porte-à-porte
- Prendre en charge
- Le dédouanement
- Import ≠ Export

Une commercialisation réussie

Compréhension de l'oral

1. Écoutez l'enregistrement et répondez.

a. Quels éléments déterminent le prix d'un billet d'avion ? Cochez les bonnes réponses.

☐ l'aéroport de départ

☐ l'aéroport d'arrivée

☐ l'horaire

☐ la compagnie aérienne

☐ le supplément bagages

☐ les taxes

☐ la classe

☐ la date

☐ l'assurance

b. Qu'est ce qui fait varier le prix du billet d'avion ? (2 réponses)

– ....

– ....

c. Cochez la ou les phrase(s) exacte(s).

☐ Si le voyageur choisit un vol tôt le matin, il paye moins cher que s'il voyage en milieu de matinée.

☐ Si le voyageur part en milieu de matinée, il paye aussi cher que s'il voyage tôt le matin.

☐ Si le voyageur voyage en milieu de matinée, le tarif est moins intéressant que s'il voyage tôt le matin.

d. En haute saison, les prix sont … qu'en bassse saison.

☐ aussi chers   ☐ plus chers   ☐ moins chers

Pourquoi ? ....

e. Les compagnies aériennes ont-elles le droit de modifier les prix des billets ?

....

f. Pourquoi lorsque la demande est faible les prix sont plus avantageux ?

....

Vocabulaire

2. Retrouvez les mots qui correspondent aux définitions.

a. Opération qui consiste à vendre les produits d'un magasin afin de se débarrasser du stock avant, par exemple, une fermeture définitive ou des travaux : ....

b. Périodes de promotion très contrôlées par la loi, qui reviennent deux fois par an : ....

c. Prix d'un produit avant toute réduction : ....

3. Chassez l'intrus.

a. prohiber – autoriser – sanctionner – violer un accord

b. les soldes – la liquidation – le prix de vente – la promotion

c. la coopérative – la réputation – le producteur – l'intermédiaire

Grammaire

4. Expliquez la formation du conditionnel présent.

Le conditionnel présent se forme sur le radical :

☐ du présent de l'indicatif.

☐ du futur simple.

☐ de l'imparfait.

Et on ajoute les terminaisons du .... qui sont :

– ....

– ....

– ....

– ....

– ....

– ....

5. Conjuguez les verbes au conditionnel.

	Pouvoir	Être	Avoir	Vouloir	Savoir
je					
tu					
il / elle / on					
nous					
vous					
ils / elles					

6. Terminez les phrases suivantes.

a. Je revendrais à perte si ....

b. Nous ne respecterions pas la loi si ....

c. Si tu n'avais pas oublié d'inclure les taxes, ...

d. Ils fixeraient les prix librement si ....

e. Si la préfecture donnait son accord, ...

Compréhension de l'écrit

7. Chaque situation fait référence à un prix (prix de vente, prix de revient, prix psychologique ou prix promo). De quel prix parle-t-on dans chaque phrase ?

a. Un boulanger vend la baguette 1,05 euro.

b. Un jeune de 25 ans est prêt à dépenser 110 euros pour un smartphone de la marque Apple.

c. Le produit coûte 52 euros en période de liquidation et 56 euros sans réduction.

d. Le prix est fixé à 31 euros avec les taxes, matières premières, marge et coûts de livraison.

e. Le camembert coûte 2,90 euros en supermarché.

f. Les gens dépenseraient 50 euros de plus pour une tablette d'une marque célèbre.

g. Ce produit est vendu 30 % moins cher en période de soldes.

h. Le prix inclut toutes les matières premières, la livraison, les salaires, le loyer.

Prix de vente	Prix de revient	Prix psychologique	Prix promotion
phrases : a, e, d	*phrases :* h	*phrases :* b, f	*phrases :* c, g

Une commercialisation réussie

Compréhension de l'oral 🎧

1. Écoutez l'interview et répondez.

a. Quel projet vient de lancer Florent Farel ? Avec qui travaille-t-il ?

Livraison des produits bio (panier)

b. Comment fait-on pour passer une commande à Florent Farel ?

Sur le cite internet

c. Pourquoi est-ce un canal de distribution court ?

Il est estte seul détaillant/intermediare → il achete les legümes

d. Qui est gagnant avec le projet de Florent Farel ? (3 réponses)

Canal court, vite, Producteur, consommaeteur, agriculteur

e. Pourquoi les clients de Florent Farel sont-ils satisfaits ? (3 réponses)

Ils ont des produits Frais, bio, Facile, gagnent de temps

Vocabulaire

2. Complétez le texte avec les mots proposés.

producteur – détaillant – distribution – canal – centrale d'achat – intermédiaire – court – grossiste – consommateur – grande distribution

Il existe différents canaux de .... Le .... ultra court se caractérise par l'absence d' .... entre le .... et le .... Le canal .... fait intervenir un seul intermédiaire entre le producteur et le consommateur, c'est le .... Dans le canal long, qui concerne la .... , il y a davantage d'intermédiaires. Il peut s'agir d'un .... ou d'une ....

3. Reliez les mots à leurs défintions.

a. Le cross canal
b. Un collectif
c. Le stockage
d. La logistique

1. Mettre des marchandises dans une réserve.
2. Un groupe de personnes.
3. Ensemble des moyens qui permettent l'organisation d'un service.
4. Utiliser différents canaux pour acheter et se faire livrer où on veut.

Grammaire

4. Donnez le contraire de ces adjectifs puis leur adverbe en -*ment*.

Adjectif	Contraire	Adverbe en -*ment*
Faux	*vrai*	*vraiment*
Dur	facile	Facilement
Gentil	méchant	méchamment
Lent	vite	vitement
Inhabituel	habituel	habituellement
Mal poli	poli	poliment
Collectif	seul individuel	individuellement

5. a. Retrouvez les 6 adjectifs cachés horizontalement (de gauche à droite) et verticalement (de haut en bas) dans cette grille

A	B	V	E	S	E	V	L
V	I	X	V	R	A	I	M
T	S	O	P	N	X	O	T
O	E	F	A	C	I	L	E
H	U	N	I	Q	U	E	G
B	L	T	M	P	Y	N	E
C	O	U	R	A	N	T	B

b. Notez les 6 adjectifs et donnez leur adverbe en –ment.

– .... → ....

– .... → ....

– .... → ....

– .... → ....

– .... → ....

– .... → ....

Compréhension de l'écrit

6. Lisez les messages postés sur le forum et répondez aux questions.

www.forum-travail.com

Forum

Auteur	Message
Fabrice Paris	Posté le 12 juin 2014 *Je n'aime pas faire mes courses en ligne. On ne voit pas bien les nouveaux produits et, du coup, on achète toujours la même chose. Certaines personnes trouvent cela pratique, mais pas moi.*
Marie Lyon	Posté le 12 juin 2014 *En général, je rentre tard et je n'ai pas le temps d'aller dans les grandes surfaces. C'est une perte de temps. Alors maintenant, je fais mes courses en ligne. Le temps de passer la commande et c'est fait. Il faut juste être là au moment de la livraison. C'est génial de faire ses courses en ligne.*
Emmanuelle Nantes	Posté le 13 juin 2014 *C'est vrai que faire ses courses en ligne fait gagner du temps, mais il y a aussi des inconvénients. On ne voit pas toujours bien les produits. Et moi, je préfère voir les produits frais, comme les légumes, avant des les acheter.*

a. Quels avantages y a-t-il à faire ses courses en ligne ?

....

b. Quels inconvénients y a-t-il à faire ses courses en ligne ?

....

c. Qui aime faire ses courses en ligne et qui n'aime pas faire ses courses en ligne ?

....

Une commercialisation réussie

▉ Compréhension de l'oral

1. Écoutez la conversation téléphonique et répondez.

a. Pourquoi monsieur Mathieu téléphone à Transport Plus ?

....

b. Que vend l'entreprise où travaille monsieur Mathieu ?

....

c. Quelles informations souhaite avoir monsieur Mathieu ?

....

....

d. Que lui propose madame Feliciano à la fin de la conversation ? Pourquoi ?

....

....

▉ Vocabulaire

2. Associez les étiquettes pour former 5 mots.

a. ....
b. ....
c. ....
d. ....
e. ....

TRE   NE   EN

DRO   EN   POT   DÉ   MAR

CHAN   DISE   LAI   GIN

3. Mots croisés. Retrouvez les mots à partir des définitions.

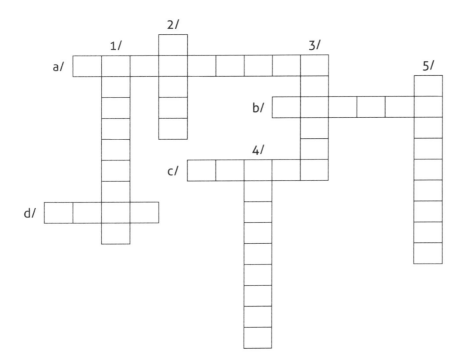

Horizontalement

a. Conduire un produit jusqu'à un point d'arrivée.

b. Une ensemble de véhicules et d'avions.

c. Un paquet.

d. Le transport de marchandises.

Verticalement

1. Demander un produit à un fournisseur.

2. Le temps laissé pour une livraison.

3. Commerce de proximité pour la distribution de colis : un point ...

4. La remise d'un colis à la personne qui a passé la commande.

5. Enlever le produit de la douane et soustraire les droits de douane.

Grammaire

4. Choisissez la préposition de temps qui convient.

a. Le colis est disponible au point relais *pendant / en* 3 jours.
b. Les drones permettraient de livrer des livres *en / il y a* 2 heures.
c. Votre réfrigérateur sera livré *depuis / dans* 48 heures.
d. Ils m'ont livré mon ordinateur *il y a / en* 2 jours.
e. Les colis sont disponibles au point relais *pendant / il y a* une semaine.

Compréhension de l'écrit

5. Lisez le document et répondez aux questions. Justifiez vos réponses.

Retrait en magasin	Retrait dans un Point Relais
■ Tous les produits	■ Tous les produits
▸ Frais de traitement et de retrait offerts. ▸ Retirez votre commande dans le magasin de votre choix. ▸ Retrait en 1 heure après validation de votre commande. ▸ Du lundi au dimanche (selon horaires d'ouverture du magasin). ▸ Vous avez 15 jours pour retirer votre commande. ▸ Payez tout ou une partie en ligne et le solde en magasin.	▸ Livraison offerte à partir de 20 € d'achats, sinon frais de 5 €. ▸ Mise à disposition dans l'un des 4 000 relais (selon taille du produit) proches de votre domicile. ▸ Retrait 48 heures à 72 heures après l'expédition. ▸ Du lundi au samedi, dimanche possible, selon les horaires du commerçant. ▸ Vous avez 10 jours pour aller retirer votre colis.

D'après www.boulanger.fr

	Vrai	Faux
a. Vous devez payer des frais de traitement pour retirer votre produit en magasin.	☐	☐
b. Vous pouvez retirer votre produit le jour même en Point Relais.	☐	☐
c. Vous partez en vacances 3 semaines, vous pouvez retirer votre produit à votre retour.	☐	☐
d. Vous devez obligatoirement payer une partie de votre commande au magasin.	☐	☐
e. La livraison en Point Relais est toujours gratuite.	☐	☐
f. Vous pouvez parfois retirer votre produit un dimanche.	☐	☐

Phonétique

6. Soulignez la syllabe la plus longue, puis répétez.

a. Il n'y a pas d'intermédiaire entre le producteur et le consommateur.
b. Tous les voisins commandent leurs produits aux paysans.
c. Je suis livré où je veux et quand je veux.
d. Chronopost vous livre en 24 heures les articles non volumineux.

1 Choisissez le mot qui convient. ..... /6

a. Le prix de vente est calculé en fonction de barrières psychologiques, de la concurrence et du ...

☐ prix promo. ☐ prix bas. ☐ coût de revient.

b. Revendre un produit en dessous de son prix d'achat est une pratique ...

☐ sanctionnée. ☐ autorisée. ☐ imposée.

c. Un canal de distribution ... implique un producteur, un détaillant et un consommateur.

☐ ultra-court ☐ court ☐ long

d. Notre ... comprend 30 000 véhicules et 46 avions.

☐ chaîne ☐ flotte ☐ fret

e. La vente directe permet aux producteurs de se faire une ... importante.

☐ marge ☐ promotion ☐ liquidation

f. Un commerçant de quartier chez qui on vous livre votre colis, c'est un ...

☐ domicile. ☐ bureau de Poste. ☐ point relais.

2 Associez les mots de chaque colonne. .... /2

a. Une promotion •   • 1. Une livraison
b. Un certificat •   • 2. Un groupe
c. Un acheminement •   • 3. Une liquidation
d. Un collectif •   • 4. Un label

3 Choisissez la préposition de temps qui convient. ..... /4

a. Votre colis sera livré *il y a / dans* 2 jours.

b. L'Assemblée a adopté *pour / en* décembre 2013 le projet de loi qui autorise la vente en ligne de lunettes.

c. Une livraison est faite *en / pendant* 24 heures chez TNT.

d. Darty a livré notre réfrigérateur *il y a / dans* 48 heures.

4 Conjuguez les verbes entre parenthèses. ..... /2

a. Si je pouvais, je .... (*commander*) par Internet.

b. Si le prix de vente était inférieur au prix de revient, ce .... (*être*) une vente à perte.

c. Si le producteur .... (*travailler*) directement avec le consommateur, il s'agirait d'un canal de distribution ultra court.

d. Si vous connaissiez « la Ruche qui dit oui », vous .... (*devenir*) locavore !

5 Lisez le texte de présentation des relais-colis. Dites si les phrases sont vraies ou fausses.

Livraison relais-colis

Qu'est-ce qu'un relais-colis ?

Les relais-colis sont des commerçants (boutiques de vêtements, stations service, artisans...) qui s'engagent à réceptionner et à vous remettre vos colis expédiés par fnac.com, sans aucun frais supplémentaire et sans obligation d'achat chez eux.

Il y a 3 500 relais-colis en France métropolitaine. Ils sont souvent ouverts jusqu'à 20 heures et le week-end. Pour trouver LE RELAIS-COLIS LE PLUS PROCHE DE CHEZ VOUS, indiquez votre code postal ou votre numéro de département. Les relais-colis les plus proches vous seront proposés, avec les jours et les horaires d'ouverture.

Pourquoi choisir un relais-colis ?

Vos colis sont livrés partout en France en moins de 2 jours chez l'un de nos 4 000 commerçants partenaires. Vous êtes prévenus par un message d'alerte de l'arrivée de votre colis dans votre relais. Vous avez ensuite 10 jours pour aller le chercher.

Nouveau : avec Mon Appli' Relais Colis, sur votre Smartphone, vous pouvez suivre vos colis en temps réel, localiser les relais-colis à proximité, donner votre avis sur chacune de vos livraisons.

D'après www.fnac.com

	Vrai	Faux
a. La livraison de votre commande en relais-colis est gratuite.	☐	☐
b. Les relais-colis sont fermés le samedi et le dimanche.	☐	☐
c. Vos colis sont livrés en moins de 3 jours.	☐	☐
d. Vous pouvez savoir où est votre colis en temps réel si vous téléphonez.	☐	☐
e. Votre colis restera au relais-colis pendant 8 jours entiers.	☐	☐
f. Vous recevez un message d'alerte quand votre colis arrive au relais colis.	☐	☐

Objectif vente

 LEÇON 1

- Un produit phare
- Une marque
- Un plan de communication
- Relancer les ventes
- Le packaging
- Une édition limitée, spéciale…
- Un effet à court terme
- Saisonnier / Saisonnière
- Un logo
- Viser
- Être soucieux de
- Mettre l'accent sur
- Un bienfait
- Une faible teneur

- Accrocher un public
- Un potentiel
- Mettre en place
- Un dispositif publi-promotionnel
- Un communiqué de presse
- Des goodies
- Un échantillonnage
- Dédier à
- L'évènementiel
- Le *street marketing*
- Un flash mob

- Le marketing viral
- Le bouche à oreille

- Un phénomène
- Un publiciste / Publicitaire
- La notoriété
- Utiliser à des fins
- Accroître le capital sympathie
- Fidéliser
- Un attrait
- Propager / La propagation
- La bonne parole
- Exponentiel(le)
- S'auto-alimenter
- Une cible
- Le bon vouloir
- Une incitation / Inciter

LEÇON 2

- Investir un lieu
- Promouvoir
- Attirer l'attention
- Innovant(e)
- Une campagne, une opération, une action publicitaire
- Rentable
- L'obtention
- Une retombée
- Un *buzz*
- Créatif / Créative
- Une inspiration graphique

- La législation
- La voie publique
- Le colportage
- Un *community manager*
- Un conseiller
- Un média
- Le pire
- Une identité numérique
- Une opinion
- Une e-réputation
- Booster ses ventes
- Proactif / Proactive

LEÇON 3

- Un face à face
- Un prospect
- Une tablette numérique
- S'avérer
- Révéler
- Une force de vente
- Un VRP
- Un distributeur
- Délocaliser
- Percutant(e)
- Se démarquer

- Une bloggeuse
- Un relais / Relayer
- Sollicité(e)
- Un coup de cœur
- Un bon plan
- Une influence
- Une shoppeuse
- Un leader d'opinion
- Un parti pris

Compréhension de l'oral

1. Écoutez l'enregistrement et répondez.

a. Que signifie « FEVAD » ?

....

b. Quelles sont les missions de la FEVAD ?

....

c. Quelle est actuellement la tendance du e-commerce par rapport aux années précédentes ?

....

d. Quelles sont les prévisions pour 2014 ?

....

e. Combien les Français ont-ils dépensé pour les achats en ligne au deuxième semestre 2013 ?

....

Vocabulaire

2. Complétez les phrases avec les mots proposés.

effet à court terme – potentiel – échantillonnage – goodies – packaging

a. Le nouveau *packaging* de ce produit lui a donné une nouvelle image et a permis de relancer les ventes.

b. La campagne de Noël n'aura malheureusement qu'un *effet à court terme* sur les ventes.

c. Nous avons prévu des *goodies* pour les distribuer sur les lieux de vente.

d. Le *potentiel* de notre produit est très élevé : il cible les jeunes et les moins jeunes et n'a pratiquement pas de concurrence.

e. L'*échantillonage* de tissus est arrivé ce matin ; nous devons choisir deux tissus pour l'étui de nos nouvelles lunettes.

3. Associez les éléments des deux colonnes.

a. Le bouche à oreille

b. Une cible

c. Le marketing viral

d. Une campagne

e. La fidélisation

1. Technique de promotion où les consommateurs font eux-mêmes la publicité du produit.

2. Propagation d'une information de manière non officielle.

3. Ensemble des actions de communication mises en place par une entreprise pour promouvoir un produit.

4. Capacité d'une entreprise à créer une relation durable avec ses clients.

5. Public visé par une campagne publicitaire.

Grammaire

4. Remplacez les propositions relatives en gras par un participe présent.

a. C'est un produit **qui réunit** toutes les dernières innovations technologiques.

....

b. Les participants **qui restent** jusqu'à la fin auront un cadeau.

....

c. Tous les clients **qui achètent** trois paquets recevront un paquet gratuit.

....

d. Les mots-clés **qui définissent** notre nouveau produit sont dans la brochure de présentation.

....

5. Complétez avec un participe présent et terminez les phrases.

a. Les clients .... (*avoir*) une carte de fidélité ....

b. Les instructions .... (*figurer*) sur l'emballage ....

c. La campagne de promotion .... (*être*) terminée, ...

d. Les consommateurs .... (*désirer*) recevoir plus d'informations sur ce produit ....

▌ Compréhension de l'écrit

6. Lisez l'article et répondez aux questions.

Le site Doctissimo fait le pari de la vente de médicaments en ligne

Doctissimo se diversifie. Le site d'information de santé va lancer un site de vente en ligne de produits de parapharmacie et de médicaments sans ordonnance. Au-delà de l'information et des espaces de discussions, la filiale du groupe de presse magazine Lagardère Active cherche à faciliter la vie des patients en leur proposant de nouveaux services. L'idée est de « rapprocher les internautes des professionnels de santé »,

explique Valérie Brouchoud, présidente de *Doctissimo*, cité dans un communiqué. Baptisé DoctiPharma, le site permettra aux pharmaciens de donner des conseils en ligne au client, « prolongeant ainsi sur le web le rôle de conseil du pharmacien dans son officine physique ».

Il suffit de se connecter sur le site Internet d'une officine agréée par une Agence régionale de santé et dont les modalités de vente

sont encadrées par un arrêté publié au Journal Officiel en juin 2013. « Nous prendrons soin de développer cette offre en suivant scrupuleusement les recommandations des autorités de santé, assure Stéphanie Barré, la directrice générale de DoctiPharma. Les consommateurs profiteront à la fois de la sécurité du circuit pharmaceutique et de la souplesse du e-commerce. »

www.lefigaro.fr, 24 mars 2014.

a. Qu'est-ce que *Doctissimo* ?

....

b. Quel est le projet de *Doctissimo* ? Comment s'appelle-t-il ? En quoi consiste-t-il ?

....

....

....

c. Que pourront faire les internautes ?

....

....

d. Quels sont les avantages du projet ?

....

....

▉ Compréhension de l'oral

1. Écoutez l'interview et répondez.

a. Qui est la personne interrogée ? À qui s'adresse-t-elle ? Dans quel contexte ?

....

b. D'après l'expert, quelle est l'origine du *street marketing* ?

....

c. En général, les gens croient que le *street marketing* c'est :

....

d. Pourquoi les enseignes choisissent-elles le *street marketing* ?

....

e. S'agit-il d'un phénomène passager ? Expliquez.

....

f. Quels sont les trois règles que les publicistes doivent respecter ?

....

▉ Vocabulaire

2. Complétez les phrases avec les mots suivants.

community manager – retombées – e-réputation – média

a. Un _média_, comme la presse, ou Internet, ou la télévision, permet la diffusion d'un message et la communication.

b. Les _retombées_ d'une bonne campagne publicitaire sont très importantes pour une entreprise.

c. Le _community manager_ développe l'image d'une entreprise sur le net et les médias sociaux et veille à son e-réputation.

d. Aujourd'hui, il est essentiel pour une entreprise de bien maîtriser son _e-réputation_.

3. Complétez le tableau avec un nom ou un verbe.

Nom	Verbe
un conseil	*conseiller*
une identification	identifier
un prospect	prospecter
une révélation	révéler
la délocalisation	délocaliser
Un obtention	obtenir

▉ Grammaire

4. Complétez avec les adjectifs proposés. Faites l'accord si nécessaire.

le pire – les meilleurs – bonnes ✓ – mauvaise ✓ – le mieux ✓ – meilleure ✓

a. Ce mois-ci les ventes sont _les meilleures / bonnes_ : nous avons fait + 5 %.

b. Phil a _les meilleurs_ horaires de l'entreprise : c'est lui qui décide quand il vient !

c. La campagne de promotion de ce produit a été _mauvaise_ : nous n'avons pratiquement pas augmenté les ventes.

d. Ton idée est _meilleure_ que la mienne : tout le monde a été conquis !

e. Le lundi est _le plus pire_ jour de la semaine : nous avons plein de rendez-vous et de réunions, et pendant ce temps le travail s'accumule !

f. C'est ton projet _le plus mieux fait_ ! Tu peux le présenter à la prochaine réunion ?

5. Terminez les phrases avec un superlatif (*le plus / le moins*) et un des adverbes suivants, comme dans l'exemple.

rarement – fréquemment – souvent – prudemment – rapidement

Exemple : *Jack téléphone souvent, mais c'est Lise **qui téléphone le plus souvent.***

a. C'est vrai, Lucie travaille très vite, mais c'est tout de même Thomas qui ....

....

b. Je regarde les chiffres une fois par semaine, mais je dois reconnaître que c'est toi qui ....

....

c. On fait très attention à ce que l'on publie sur les réseaux sociaux, mais c'est le *community manager* qui ....

....

d. Le Directeur descend nous voir très peu, mais c'est le Président qui ....

....

Compréhension de l'écrit

6. Lisez cet article et répondez aux questions.

Dove fidèle à Brand Nation

Pour la quatrième année consécutive, The Brand Nation accompagne Dove dans son opération « Toutes belles toutes différentes ». Emailing, page Facebook, site dédié, application mobile, journée événement et pour la première fois un partenariat avec l'enseigne Auchan constituent le dispositif *off* et *online* mis en œuvre pour dénicher les nouvelles ambassadrices 2014 de la marque, en France. Lancée à l'occasion de la journée de la femme, le 8 mars dernier, cette campagne se déroule sur 5 semaines et se clôturera par une journée événementielle le 4 juin prochain. Journée durant laquelle les 20 beautés Dove seront mises en scène et coachées par des personnalités du monde du spectacle et de la beauté, pour réaliser le clip Dove 2014 que le grand public découvrira le 21 juin.

D'après www.cbnews.fr, 17 mars 2014.

a. Quelles actions constituent le dispositif mis en place par Dove ?

....

b. Dove a mis en place cet évènement :

☐ depuis 5 ans   ☐ une fois tous les 4 ans   ☐ pour la 4ᵉ fois   ☐ une fois en 4 ans

c. Quelle est la nouveauté cette année ?

....

d. Sur quoi aboutira le projet ?

....

e. Dove profite d'une date importante pour lancer sa campagne. Laquelle ?

....

3 Objectif vente

Compréhension de l'oral 🎧

1. Écoutez le dialogue et répondez aux questions.

a. Pourquoi s'interroge-t-on aujourd'hui sur l'avenir des vendeurs ?

....

b. Quelles seront, à l'avenir, les compétences requises par les vendeurs ?

....

c. Dans quels domaines inattendus y a-t-il une demande de vendeurs ?

....

Vocabulaire

2. Chassez l'intrus et justifiez votre réponse.

une bloggueuse – une shoppeuse – un leader d'opinion – une influence

....

3. Associez le mot à sa définition.

a. Une bloggueuse • • **1.** Par son statut ou sa position sociale, elle influence les opinions d'un grand nombre de personnes.

b. Une shoppeuse • • **2.** Elle tient un blog où elle donne son avis sur certains produits et répond aux questions et commentaires de ses lecteurs.

c. Une follower • • **3.** Elle réalise des achats en ligne sur des sites de e-commerce.

d. Une leader d'opinion • • **4.** Elle suit une personne ou une marque sur Twitter.

4. Dans les entreprises, les commerciaux utilisent de plus en plus les tablettes pour leur travail. D'après vous, ces affirmations sont-elles vraies ou fausses ?

	Vrai	Faux
a. Ce n'est pas grave si le commercial n'est pas à l'aise avec la tablette.	☐	☐
b. Avec la tablette, le commercial peut consulter sa boîte et envoyer des pièces jointes.	☐	☐
c. La tablette est un excellent complément à l'ordinateur portable.	☐	☐
d. La tablette met longtemps à démarrer et n'a pas beaucoup d'autonomie.	☐	☐
e. Par rapport à l'ordinateur portable, la tablette peut se passer de main en main et crée ainsi une interactivité.	☐	☐

Grammaire

5. Transformez les phrases suivantes en phrases nominales.

a. Je vous souhaite du courage pour la présentation de votre projet.

....

b. Vous pouvez vous connecter gratuitement.

....

c. Vous pouvez gagner de nombreux prix sur notre site.

....

d. Le téléchargement de certains dossiers n'est pas recommandé.

....

e. Vous pouvez choisir la langue de l'interface.

....

6. À partir de ces phrases nominales, construisez des phrases avec un verbe conjugué.

a. Ouvert 24h/24, 7j/7.

....

b. Connexion non autorisée.

....

c. Document envoyé.

....

d. Introduction du mot de passe obligatoire.

....

Compréhension de l'écrit

7. Lisez ce texte puis répondez aux questions.

Selon une étude récente sur les comportements masculins en matière de shopping, il s'avère que, contrairement à ce que l'on pourrait croire, l'homme aussi prend plaisir à faire les boutiques : il est donc une shoppeuse comme nous autres, les femmes !

Ceci est d'autant plus intéressant pour les commerçants que l'homme est moins regardant que nous quand il s'agit de payer :

68 % d'entre eux sont prêts à payer plus cher lorsqu'il s'agit d'acheter un article de qualité.

Cette étude démontre également que l'homme n'est pas aussi impulsif que les femmes : ils veulent LE pantalon dernier cri, mais ils auront comparé son prix dans différentes boutiques avant de l'acheter.

Par ailleurs, 42 % des hommes préfèrent

les boutiques du centre-ville, car elles sont généralement spécialisées. Et, autre différence avec les femmes, ils attachent une importance toute particulière à la vitesse : 59 % d'entre eux mettent moins d'une heure à faire leurs achats, contre 37 % des femmes. Les deux termes qui caractérisent donc le mieux nos shoppeurs sont : rapidité et efficacité !

a. Qu'est-ce qui rapproche les hommes des femmes, en termes d'achats ?

....

b. D'après ce texte, les commerçants préfèrent-il avoir à faire à un homme ou à une femme ? Pourquoi ?

....

c. Où les hommes préfèrent-ils acheter leurs vêtements ? Pourquoi, à votre avis ?

....

d. Combien de temps en moyenne un homme met-il pour faire ses courses ?

....

Phonétique

8. Répétez en insistant sur l'enchaînement consonantique.

a. Internet est la solution pour le commerce à l'international.

b. Les ventes au détail ont baissé cette année.

c. Cette campagne a fait un *buzz* incroyable.

d. La tablette est utile en face à face avec le client.

1 **Choisissez la bonne réponse** ..... /5

a. La campagne de Noël nous a permis de ... les ventes.
- ☐ mettre en place
- ☐ relancer
- ☐ lancer
- ☐ boucler

b. Pour ... nos clients, nous allons leur envoyer un chèque-cadeau pour les fêtes de Noël.
- ☐ fidéliser
- ☐ relancer
- ☐ viser
- ☐ appeler

c. Malgré tout l'investissement en publicité, c'est finalement ... qui a été le plus efficace.
- ☐ le marketing
- ☐ le bouche à oreille
- ☐ l'échantillon
- ☐ le logo

d. Le produit ... d'Ikéa est leur étagère « Billy ».
- ☐ de marque
- ☐ cible
- ☐ phare
- ☐ publicitaire

e. Le marketing ... se propage tel un virus !
- ☐ viral
- ☐ de communication
- ☐ cible
- ☐ phare

2 **Choisissez le mot correct.** ..... /5

a. Un *VRP / client* est un vendeur itinérant.

b. Les avis que publie cette célèbre *vendeuse / bloggueuse* sont pris en compte par les grandes marques.

c. D'après la loi, *le colportage / le reportage* est interdit sur la voie publique.

d. Cette agence de publicité a eu la chance de pouvoir recruter des publicistes *réactifs / créatifs*.

e. Pour réduire les frais de production, il a fallu *délocaliser / localiser* une de nos usines.

3 **Transformez les phrases avec un participe présent, comme dans l'exemple** ..... /5

Exemple : Ce produit convient à tous les publics.
→ *C'est un produit convenant à tous les publics.*

a. Les clients qui achètent le lot complet auront un chèque-cadeau.

....

b. Ce publiciste connaît tous les secrets de son métier.

....

c. Le logo sur notre produit doit être changé.

....

d. Cette campagne promotionnelle a donné d'excellents résultats, il faudra la refaire l'année prochaine.

....

e. Comme l'opération de *street marketing* a été un succès, nous organiserons bientôt un autre événement.

....

4 **Lisez ce document et dites si les phrases sont vraies ou fausses.** ..... /5

Halte à la fraude !

À quelques jours du lancement des soldes d'été 2014, une enquête sur le commerce en ligne, révèle que près de la moitié des sites présente au moins une anomalie par rapport au réglement, un chiffre en hausse depuis un an. Parmi les manquements les plus fréquemment constatés : une absence de justification des prix de référence (par exemple, le prix au kilo n'est pas mentionné...) et l'indisponibilité des produits en promotion.

Un taux d'anomalie en hausse

Sur les sites, des publicités de réduction de prix restent visibles alors que les produits ne sont plus disponibles. Les enquêteurs ont également relevé des taux de remise affichés sans rapport avec la réduction réelle du prix. On note que certains sites de vente en ligne ne sont pas joignables par téléphone et que le terme « discount » est parfois employé pour des produits qui ne sont pas remisés.

Compte tenu de ce taux d'anomalie très important, la répression des fraudes a rappelé à l'ordre les acteurs du e-commerce, afin qu'ils prennent les mesures appropriées pour respecter la réglementation en vigueur. Un dossier à suivre...

D'après www.leparticulier.fr, juin 2014.

	Vrai	Faux
a. Depuis un an, les anomalies par rapport à la règlementation des sites de vente en ligne ont diminué.	☐	☐
b. Les prix de référence doivent être mentionnés sur les sites de commerce en ligne.	☐	☐
c. Si un produit est en promotion sur le site, il doit être disponible.	☐	☐
d. Les sites de vente en ligne sont facilement joignables au téléphone.	☐	☐
e. La répression des fraudes a mis en garde les sites de vente en ligne.	☐	☐

UNITÉ 4

Bienvenue au salon !

 LEÇON 1

- Un stand
- Un emplacement
- Exposer
- Le *rebooking*
- Un pôle d'attraction
- Un espace VIP
- Une allée principale, secondaire, périphérique
- L'affluence
- Générer
- Aborder quelqu'un
- Un espace détente, restauration
- Un pari risqué

- Un forum
- Être compris ≠ Être en supplément
- La moquette
- Une cloison
- Une enseigne
- Un kit
- Le mobilier
- Un boîtier électrique
- Un catalogue
- Un exposant
- Un marquage
- Un forfait
- Une hôtesse d'accueil

- Chaleureux / Chaleureuse
- Un comptoir
- Minimum / Maximum
- Une réserve
- Un logo
- Insérer
- Un présentoir
- Une permanence
- Un supplément
- Le revêtement de sol

 LEÇON 2

- Prendre part à un événement
- Une panoplie d'actions
- Stimuler
- Ambitieux / Ambitieuse
- Inespéré(e)
- Ample
- Un prospect
- Une prestation de service

- Une intention
- Une spécificité
- Primordial(e)
- Un classeur
- La fréquentation
- Une PLV (publicité sur le lieu de vente)
- Générer du trafic
- Récolter
- Une borne de jeu
- Gagnant(e) / Perdant(e)
- Se démarquer

LEÇON 3

- Orienter
- Potentiel(le)
- Un flyer
- Personnaliser
- Une brochure
- La signalétique
- Baliser
- Un kakémono

- Arpenter
- Tirer un bénéfice
- Livrer les ficelles
- Ferrer
- Être percutant(e)
- Informel(le) / Formel(le)
- Récolter de l'information
- Un concentré de
- Aiguiser
- Peaufiner
- Faire partie du jeu
- Un débriefing / Un débrief

Bienvenue au salon !

■ Compréhension de l'oral 🎧

1. Écoutez l'enregistrement et répondez.

a. Quels sont les deux renseignements dont le deuxième homme a besoin pour répondre au premier ?

enterprise, nom, reference

b. Où est inscrite la référence ?

En top sur la Formulaire

c. Donnez la référence du dossier ?

1427-GRSH-221

d. Quelles sont les principales caractéristiques du stand réservé ?

12m carrés, 3 jours, niveau prestige

e. Quel matériel inclut le stand ? Citez au moins 4 éléments sur 6.

4 Badge, des spots pour les clients, 2 écrans, wiFi, boîte électrique, tabouré, comptoir, éclairage

f. Pourquoi le deuxième homme doit-il aller à l'accueil du salon ?

Pour acquérir les badges

g. Où apparaîtront le nom et le logo de l'entreprise ?

Dans le guide du salon

■ Vocabulaire

2. a. Donnez le mot correspondant à ces images.

1. ....   2. ....   3. ....   4. ....   5. ....

b. Faites 3 phrases en utilisant ces 5 mots.

– ....

– ....

– ....

3. Citez :

a. 5 choses que l'on peut trouver sur un stand.

....

b. 3 personnes que l'on peut rencontrer sur un salon.

....

c. 3 choses que peut faire le personnel d'une entreprise sur un salon.

....

4. À quels lieux d'un salon correspondent ces définitions ?

a. L'endroit où se trouvent les hôtesses pour recevoir les exposants ou visiteurs : ....

b. Le lieu où se déroulent les conférences de presse : ....

c. Le lieu où l'on peut faire une pause en toute tranquilité : ....

d. L'espace qui permet aux exposants et aux visiteurs de déjeuner ou prendre un café : ....

Grammaire

5. Pascal a laissé un mot à Nuria pour préparer leur présence sur le stand. Mettez les verbes à la deuxième personne du singulier de l'impératif présent.

a. .... (*faire*) la liste du matériel à apporter.

b. .... (*modifier*) l'heure du rendez-vous avec Monsieur Venezia.

c. .... (*prendre*) les brochures avant de partir.

d. .... (*finir*) le powerpoint pour la présentation.

e. .... (*se renseigner*) sur les changements d'horaires.

f. .... (*aller*) à l'accueil récupérer les badges.

Compréhension de l'écrit

6. Lisez le mail et dites si les phrases sont vraies ou fausses.

| | | Supprimer | Indésirable | Répondre | Rép. à tous | Réexpédier | Imprimer |

De : Guillaume
À : Karine
Cc :
Objet : Salon

Karine,

J'arrive demain à 9 h 30 sur le stand. Je souhaite régler les derniers détails avec toi pour être sûr du bon déroulement du salon. Le stand que nous avons réservé inclut bien un écran plasma et une connexion wifi?

Je ne suis pas très satisfait de l'emplacement du stand car nous sommes dans une allée périphérique, ce sera plus compliqué pour générer du trafic. Pour le mobilier, j'ai tout vérifié. Nous aurons un comptoir et 2 tabourets, des présentoirs pour mettre nos brochures. Il faut récupérer les badges à l'accueil demain matin à 9 h, tu peux t'en charger ?

À demain,

Guillaume

	Vrai	Faux
a. Guillaume envoie un mail pour confirmer à Karine qu'il y a un écran plasma et une connexion wifi sur le stand.	☐	☐
b. Le stand est dans l'allée centrale.	☐	☐
c. Guillaume est ravi de l'emplacement du stand.	☐	☐
d. L'emplacement du stand est idéal pour générer du trafic.	☐	☐
e. Le stand inclut un comptoir, 2 tabourets et des présentoirs.	☐	☐
f. Guillaume va récupérer les badges à l'accueil à 9 h.	☐	☐

Bienvenue au salon !

■ Compréhension de l'oral 🎧

1. Écoutez l'interview et répondez.

a. Alicia est :

☐ une assistante.   ☐ une responsable.   ☐ une cliente.

b. Où Hélène doit-elle aller la semaine prochaine ?

....

c. Complétez le planning d'Hèlène.

Mercredi	Arrivée : .... h .... Déjeuner avec .... à .... h .... Rendez-vous client : .... h ....
Jeudi	Présentation : .... h .... Rendez-vous Madame Dévals : .... h ....
Vendredi	10 h 00 : .... 14 h 30 : .... 19 h 00 : .... + ...

d. À quelle heure était son rendez-vous du mercredi à l'origine ?

....

e. Et la présentation du jeudi ?

....

■ Vocabulaire

2. Complétez les phrases avec les mots suivants.

une participation – se démarquer – jeux-concours – gagnante – visibilité – une formation – générer

a. Avoir une bonne .... sur un salon permet de .... du trafic.

b. Les commerciaux ont suivi .... avant le salon.

c. L'organisation de .... sur le stand est importante pour .... des autres exposants.

d. .... bien organisée est une stratégie .... pour une entreprise.

3. Trouvez les noms qui correspondent aux verbes suivants.

Verbes	Noms
Récolter	....
Varier	....
Prospecter	....
Améliorer	....
Animer	....
Interagir	....

Grammaire

4. Trouvez les adverbes de temps ou de lieu puis classez-les dans le tableau.

a. J _ _ _ I _

b. P _ E_

c. D _ _ _ _ T

d. B _ _ N _ _ _

e. D _ _ _ _ N

f. D _ _ _ _ S

g. A _ _ _ _ R

h. T O _ _ _ _ _ _

i. L _ I _

j. P _ _ T _ _ _

k. H _ _ R

l. Q _ _ _ Q _ _ _ _ _

Adverbes de temps	Adverbes de lieu

5. Complétez les phrases avec un adverbe de temps ou de lieu.

a. Le stand est .... de l'espace détente.

b. Les visiteurs peuvent s'asseoir .... de la table.

c. Le salon de l'habitat commence ....

d. La présence sur un salon est .... l'occasion de signer de nouveaux contrats.

e. Les animations avec cadeaux à la clé attirent .... les visiteurs.

Compréhension de l'écrit

6. Lisez la publicité et répondez.

DÉCOUVREZ LA SEULE TABLE DIGITALE RONDE ET « MULTITOUCH » DU MARCHÉ, IDÉALE POUR FAVORISER LES ÉCHANGES SUR UN SALON PROFESSIONNEL !

La table digitale est une table tactile ronde « Multitouch ». Elle est destinée à la communication sur les salons. Pouvant accueillir jusqu'à 8 personnes simultanément, ce dispositif innovant et convivial vous permettra d'améliorer l'impact de votre communication et de favoriser les échanges entre les participants, en leur offrant une expérience unique !

▶ Sa forme ronde est idéale pour favoriser les échanges.
▶ L'interface est personnalisable : logo, couleurs…
▶ Une utilisation très intuitive grâce au « Multitouch ».
▶ Elle lit tous les types de documents : photos, vidéos, Powerpoint, PDF, et même vos produits en 3D !
▶ Elle peut être connectée à Internet grâce au wifi.
▶ Son écran étanche est quasiment incassable.

D'après www.forevent.fr

a. Qu'est-ce que permet d'améliorer la table « Multitouch » ?

....

....

b. Comment pouvez-vous personnaliser la table « Multitouch » ?

....

....

c. La table « Multitouch » est-elle fragile ? Justifiez votre réponse.

....

d. Citez 2 adjectifs qui qualifient positivement la table « Multitouch ».

– ....

– ....

Bienvenue au salon !

■ Compréhension de l'oral 🎧

1. Écoutez l'enregistrement et répondez.

a. Qui sont les 3 personnes que le journaliste interroge ?

– Hôtesse d'accueil

– Commerciale

– Visiteuse

b. Que fait sur le salon la première personne interrogée ?

Renseigne, oriente des visiteurs, distribue le plan

c. Que fait sur le salon la deuxième personne interrogée ?

Enseigne les visiteurs sur les activités de l'entreprise

d. Pourquoi la dernière personne interrogée est-elle sur le salon ?

Prendre des idées, comparer, trouver un artisan pour faire les travaux

e. Cochez la phrase exacte.

☑ La dernière personne interrogée vient de trouver un artisan avec qui travailler.

☐ La dernière personne interrogée est là uniquement pour se renseigner et prendre des idées.

☐ La dernière personne interrogée souhaite acheter un nouvel appartement.

■ Vocabulaire

2. Associez les équivalents.

a. Livrer les ficelles •   • **1.** Accrocher quelqu'un

b. Peaufiner son discours •   • **2.** Finir avec soin quelque chose

c. Ferrer un prospect •   • **3.** Engager une conversation

d. Aborder une personne •   • **4.** Donner des trucs, des conseils

3. Complétez avec les mots suivants.

patienter – savoir-faire – signalétique – emplacement – optimiser – catalogues

Pour .... sa présence sur un salon, il est nécessaire de remplir certaines conditions. Il faut :

▶ choisir un .... stratégique.

▶ avoir une .... visible pour indiquer sa présence.

▶ distribuer des ....

▶ avoir des hôtesses pour faire .... les clients quand les commerciaux sont occupés.

▶ présenter l'essentiel de l'activité de l'entreprise, son ....

■ Grammaire

4. Associez les débuts et les fins de phrases.

a. Si vous recevez un particulier, •   • **1.** les visiteurs sont attirés et viennent.

b. Si vous réussissez à convaincre le prospect, •   • **2.** je peux espérer avoir un rendez-vous avec lui.

c. Si votre stand est visible de loin, •   • **3.** je lui laisse ma carte.

d. Si je sens que le prospect est intéressé, •   • **4.** vous n'engagerez pas la conversation de la même façon qu'avec un professionnel.

e. Si j'assiste à plusieurs salons pendant l'année, •   • **5.** vous obtiendrez un rendez-vous prochainement.

f. Si je marque l'esprit d'un prospect, •   • **6.** je peux espérer investir de nouveaux marchés.

Compréhension de l'écrit

5. Voici une liste de tâches que l'on réalise pendant un salon. Classez chaque tâche dans la colonne qui convient.

a. Faire les planning des présences sur le stand.
b. Guider les clients potentiels sur le salon.
c. Distribuer les flyers.
d. Présenter l'activité de l'entreprise.
e. Négocier des futurs contrats.
f. Vérifier que le matériel du stand est prêt.
g. Orienter les visiteurs vers le stand de l'entreprise.
h. Vérifier que la connexion wifi fonctionne.
i. Vérifier la signalétique du stand sur le salon.
j. Adapter son discours aux spécificités du marché.
k. Bien préparer les présentations destinées aux visiteurs.

Avant l'ouverture du salon	Rôle des commerciaux	Rôle des hôtesses

Production écrite

6. Vous représentez régulièrement votre entreprise sur des salons professionnels. Vous écrivez un article pour expliquer l'attitude à avoir face aux visiteurs et aux clients potentiels. Vous incluez dans ce texte les mots et expressions ci-dessous. (160 mots)

peaufiner – orienter – livrer les ficelles – faire partie du jeu – une brochure

Phonétique 🎧

7. Marquez les liaisons que vous entendez puis répétez.

a. Je ne vais pas assister au salon des entrepreneurs.
b. Vous irez ensemble voir les exposants ?
c. Ils ont apprécié les interventions des allemands.
d. Tu vas avoir tes après-midis libres.

❶ Complétez par le mot qui convient. ...../4

a. Le stand est tout équipé et inclut au sol...
- ☐ de la moquette.   ☐ un kakémono.
- ☐ un pôle d'attraction.

b. Pour séparer 2 stands sur un salon, nous mettons...
- ☐ un kit.   ☐ une cloison.   ☐ une enseigne.

c. Vous ne payez pas de supplément éclairage parce que le tarif comprend...
- ☐ deux tabourets.   ☐ deux forfaits.
- ☐ deux spots.

d. Pour faciliter l'accès au stand, nous l'avons...
- ☐ peaufiné.   ☐ personnalisé.   ☐ balisé.

❷ Mettez ces phrases à l'impératif. ...../4

a. Je vous propose de me retrouver sur le stand à midi.

....

b. Nous pourrions déjeuner ensemble et parler de votre proposition.

....

c. Vous accueillerez les visiteurs et ditribuerez les flyers.

....

d. Tu demanderas un stand dans l'allée centrale pour être plus visible.

....

❸ Associez chaque expression à son équivalent. ...../4

a. Générer du trafic •
b. Récolter de l'information •
c. Aborder quelqu'un •
d. Assister à un salon ou à une conférence •

• **1.** Prendre part à un événement
• **2.** Faire venir des visiteurs sur le stand
• **3.** Rassembler ou obtenir des données
• **4.** Aller vers une personne

❹ Choisissez le temps qui convient. ...../4

a. Si la signalétique est claire, les visiteurs ... facilement le stand.
- ☐ trouveraient   ☐ trouveront   ☐ trouvaient

b. Si vous embauchiez des hôtesses pour l'accueil, elles ... les visiteurs.
- ☐ orienteraient   ☐ orienteront   ☐ orientent

c. Si les commerciaux ... la présentation de l'entreprise aux visiteurs, ils obtiendront plus de résultats.
- ☐ adaptaient   ☐ adapteront   ☐ adaptent

d. Si l'organisation du salon nous ... dans l'allée centrale, nous serions plus visibles.
- ☐ plaçait   ☐ place   ☐ placerait

❺ Fabrice fait quelques recommandations à Estelle. Choisissez la bonne réponse. ...../4

| Supprimer | Indésirable | Répondre | Rép. à tous | Réexpédier | Imprimer |

De : Fabrice
À : Estelle
Cc :
Objet : Salon de Genève

Estelle,

Je t'envoie les dernières recommandations pour le salon de Genève. N'oublie pas *les cadeaux / les brochures* avant de partir ; elles sont au bureau. À ton arrivée, tu rencontreras *les organisateurs / les concurrents* pour leur faire un point pré-salon. Hervé te rejoindra sur *le stand / l'accueil* et vous rencontrerez nos clients pour un déjeuner le jeudi. Pour *motiver / générer* du trafic sur le stand, nous avons *une borne jeu / une conférence* qui permet de gagner des cadeaux. On espère que ça attirera du monde ! Ce salon sera aussi l'occasion pour toi de voir ce qui se fait à *la concurrence / les commerciaux*. N'oublie pas que tu dois rencontrer monsieur Venezia jeudi. J'espère que *la négociation / la signature* ne sera pas trop difficile et que vous arriverez à un accord. On se voit à ton retour et tu m'envoies *ton compte-rendu / ton briefing* de mission rapidement.

Fabrice

LEÇON 1

- Une anomalie
- S'engager à
- Apporter satisfaction
- Un remboursement
- Le service après-vente (le SAV)
- Traiter une plainte, une réclamation
- Un investissement
- Mécontent(e)
- Fidèl(e)
- Prendre en compte
- Dénigrer
- Porter préjudice à
- Un traitement

- Rentable
- Capter un client
- Anticiper
- Robotisé(e)
- Une catégorie
- Un manque de considération
- En priorité
- Un conseiller après-vente
- Le rayon outillage
- Le service relation client
- L'analyse sémantique
- Une borne

- Le textile
- Attirer le client
- Une marchandise
- Liquider
- La clientèle
- Une constatation
- Une politique commerciale
- Un dépannage
- Un concept
- Formaliser
- Un axe de communication
- Être garanti(e)

 LEÇON 2

- La téléphonie
- Une plateforme de télémaintenance
- Persister
- Estival(e)
- Le trafic entrant / sortant
- Opérationnel(le)
- Un dysfonctionnement

- Prendre connaissance de
- Être désolé(e)
- Une marchandise
- Endommagé(e)
- Vraisemblablement
- L'emballage
- La logistique
- Être victime de
- Se produire / Se reproduire
- Prendre les mesures nécessaires
- Un supplément

- En réparation de
- Subir un préjudice
- Un incident
- Décourager
- Accorder sa confiance
- Intacte
- Donner satisfaction

- Se faire une place
- Être en première ligne
- Piloter
- L'administration des ventes
- Une société de services
- Transversal(e)
- Faciliter
- Se démener
- Inventif / Inventive
- Un process
- Multi-facettes
- Polyvalent(e)
- La promotion interne

LEÇON 3

- Une enquête
- Une démarche qualité
- L'efficacité
- Une prestation
- Faire exprès de
- Assigner à

À l'écoute du client

▌ Compréhension de l'oral

1. Écoutez l'enregistrement et répondez.

a. De quel type de document s'agit-il ?

....

b. Quels sont les horaires des dépanneurs ?

....

c. Quel est l'engagement du SAV BHV Marais ?

....

d. Quelles sont les prestations offertes par ce service après-vente ?

....

e. Comment peut-on obtenir plus de renseignements ?

....

▌ Vocabulaire

2. Retrouvez les noms ou les verbes.

Nom	Verbe
un conseil	....
....	robotiser
la communication	....
une forme	....
une constatation	....
....	fidéliser
....	traiter

3. Classez les termes ci-dessous suivant qu'ils se rapportent au client, au service après-vente, ou aux deux.

un conseiller après-vente – un logiciel d'analyse sémantique – un manque de considération – faire une réclamation – s'engager à faire une réparation – demander un remboursement – une bonne communication – mécontent – traiter une plainte – envoyer un dépanneur – apporter satisfaction – fidéliser – téléphoner – être satisfait

Le client

....

....

....

....

....

....

....

Le service après-vente

....

....

....

....

Grammaire

4. Terminez librement les phrases suivantes en utilisant la restriction *ne ... que.*

a. Je pensais répondre à cette cliente hier soir, mais finalement ....

b. Pierre m'a dit que ce client a appelé trois fois, mais en fait ....

c. Notre objectif était de donner satisfaction à 90 % des plaintes reçues, mais ....

d. Nous aurions dû être livré il y a trois semaines, mais ....

e. Vous nous avez dit que la marchandise est complètement abîmée, en réalité ....

5. Remplacer *seulement* par la restriction *ne ... que.*

a. Il nous faut seulement deux jours pour traiter votre réclamation.

b. Paul pensait avoir besoin de deux jours pour terminer son rapport, mais il a seulement mis une matinée à le finir.

c. Aujourd'hui, j'ai seulement eu quatre réclamations téléphoniques.

d. Ce logiciel d'analyse sémantique n'est pas très performant : il reconnaît seulement les gros mots !

e. Ce service après-vente traite seulement les réclamations concernant l'électroménager.

Compréhension de l'écrit

6. Complétez librement ce mail de réclamation. Utilisez le vocabulaire des encadrés « Les mots pour » pages 60-61.

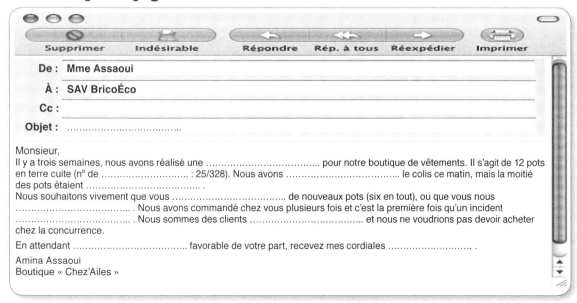

Supprimer   Indésirable   Répondre   Rép. à tous   Réexpédier   Imprimer

De : Mme Assaoui

À : SAV BricoÉco

Cc :

Objet : ....

Monsieur,
Il y a trois semaines, nous avons réalisé une .... pour notre boutique de vêtements. Il s'agit de 12 pots en terre cuite (n° de .... : 25/328). Nous avons .... le colis ce matin, mais la moitié des pots étaient ....
Nous souhaitons vivement que vous .... de nouveaux pots (six en tout), ou que vous nous .... Nous avons commandé chez vous plusieurs fois et c'est la première fois qu'un incident .... Nous sommes des clients .... et nous ne voudrions pas devoir acheter chez la concurrence.
En attendant .... favorable de votre part, recevez mes cordiales ....

Amina Assaoui
Boutique « Chez'Ailes »

À l'écoute du client

Compréhension de l'oral 🎧

1. Écoutez l'enregistrement et répondez.

a. Quel est l'objectif de ce bilan hebdomadaire ?
De repondre aux plaintes ⟶ weekly

b. Quel est, par rapport à la semaine précédente, le nombre d'appels reçus ? Et le nombre de mails reçus ?
36-39 mails, 69, 75

c. Pourquoi certains mails sont restés sans réponse ?
Ils n'ont pas reussir à identifier leproblèmes.

d. Une plainte pose un problème particulier : expliquez.
Leclient n'a voulou pas écouter.

e. Quelles sont les instructions, quant à ce cas problématique ?
Se mettre / s'identifier avec le client

Vocabulaire

2. Associez les mots à leurs définitions.

a. Un dysfonctionnement

b. Un emballage

c. La télémaintenance

d. Une marchandise

e. La téléphonie

1. Un objet qui contient et protège une marchandise.

2. Le contrôle et la maintenance d'un ordinateur à distance.

3. Le mauvais fonctionnement d'un système ou d'un appareil.

4. Un système de communication.

5. Des objets ou des produits destinés à être vendus.

3. Complétez le texte avec les mots suivants.

domaines – réputation – impact – clientèle – satisfaction – réussite

Le service à la _clientèle_ est essentiel pour la _réussite_ d'une entreprise. Il faut en permanence veiller à l'amélioration de la _satisfaction_ des clients. Les ventes et la _réputation_ de l'entreprise dépendent de la capacité à satisfaire les clients. Il ne faut pas non plus négliger l'importance du service à la clientèle dans d'autres _impa domaines_ de votre entreprise. Par exemple, le bon fonctionnement d'un service d'expédition des marchandises a en général un _impact_ important sur la satisfaction des clients.

Grammaire

4. Reliez ces phrases avec une expression de cause.

parce que – comme – étant donné que – puisque – vu que

a. Les résultats ont été excellents ce trimestre. / Nous toucherons une prime.

b. Les erreurs sont fréquentes. / Le système informatique n'est pas au point.

c. Les livraisons ont pris du retard. / Les transporteurs nationaux étaient en grève.

d. J'ai répondu à ce client mécontent. / Tu n'étais pas là.

e. Je peux rentrer chez moi. / J'ai traité toutes les réclamations de la journée.

5. Complétez librement ces phrases avec une cause.

a. ....
...., je n'ai pas pu rappeler ce client mécontent.

b. Les marchandises n'ont pas été livrées dans les délais prévus, ...
....

c. ....
...., nous ne pourrons pas faire un cadeau à nos clients fidèles.

d. Nous avons le double d'appels cette semaine sur notre site de télémaintenance, ...
....

Compréhension de l'écrit

6. Lisez l'annonce parue sur un site de recherche d'emploi, et répondez aux questions.

Emploi Responsable du Suivi Clients (H/F)

Région : Aquitaine
Ville : Bordeaux
Type de contrat : CDI – Temps plein
N° de référence : BBA/04127
Publiée depuis le : 30 juin 2014
Poste à pourvoir le : 1er sept. 2014

POSTULER

PARTAGER

• Description du poste : Vous serez responsable de la qualité du service après-vente auprès de nos clients et vous assurerez les visites clientèle avec le souci et la volonté d'apporter des solutions concrètes et adaptées aux besoins exprimés. Vous serez en relation permanente avec les services Qualité, Production, Magasin et Commercial afin de mettre en place tous les moyens nécessaires.

Vous résidez sur l'axe Bordeaux-Périgueux.
• Profil : Vous aimez le travail en équipe et possédez des qualités relationnelles. Vous faites preuve d'organisation, de rigueur et d'autonomie, et vous ajoutez à cela mobilité et disponibilité. Vous maîtrisez l'outil informatique et avez une excellente qualité rédactionnelle.
Expérience réussie de 2 ans minimum dans un poste similaire et si possible dans un environnement BtoB.
Vous bénéficiez idéalement d'une formation de niveau Bac à Bac + 2.

a. Quel est le poste à pourvoir ? Où faut-il habiter pour postuler à cette offre ?

....

b. Quel type de contrat est proposé ?

....

c. Quelles seront les missions de la personne recrutée ?

....

d. Ce poste demande de travailler avec d'autres personnes ? Avec qui ?

....

e. Quelles sont les qualités requises pour ce poste ? Et la formation minimum ?

....

À l'écoute du client

Compréhension de l'oral

1. Écoutez l'enregistrement et répondez.

a. En quoi consiste le programme « Amazon Premium » ?

....

b. Quel est le bénéfice de cette offre pour Amazon ?

....

c. Quelle est la tendance chez les compagnies aériennes ?

....

Vocabulaire

2. Voici une carte heuristique servant de memento pour la mise en place d'une enquête de qualité. Complétez cette carte avec les mots suivants.

analyse – améliorer – simples – fidéliser – conseils – services – remercier – personnellement – évaluation – limiter – commercial – confiance – facturation – solutions – dysfonctionnements – satisfaction

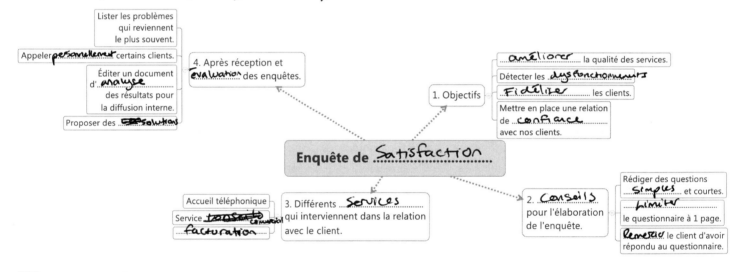

Grammaire

3. Choisissez la forme correcte.

a. Pensez-vous qu'il *est / soit* judicieux de faire un cadeau de bienvenue ?

b. Je doute que nous *obtenons / obtenions* un meilleur volume de ventes ce mois-ci.

c. J'exige que le service après-vente *se met / se mette* en contact avec moi le plus rapidement possible.

d. J'imagine que tu *seras / soit* satisfait quand tu verras les résultats.

e. Monsieur Friedrich suppose que vous *trouverez / trouviez* une solution pour ce client mécontent.

4. Répondez négativement à ces questions.

a. Croyez-vous que madame Bonn viendra à la réunion ?

....

b. Pensez-vous que votre responsable sera satisfait de votre travail ?

....

c. Tu trouves que c'est la seule alternative ?

....

d. Tu es sûr que tous nos clients répondront à cette enquête ?

....

◼ Compréhension de l'écrit

5. Trouvez les mots manquants dans ce questionnaire de satisfaction, puis dites si les affirmations sont vraies ou fausses.

Clean&Pro

Nous .... une enquête de satisfaction auprès de nos .... dans le cadre de notre projet qualité pour ....
.... nos services.

		Bien	.... bien	Mauvais
Produits d'entretien	– Efficacité	•		
	– Parfum	•		
	– Rapport qualité/prix		•	
	– Rendement		•	
	– Format			•
Machines (aspirateurs et cireuses)	– Manipulation			•
	– Entretien		•	
	– Poids		•	
	– Facilité de rangement	•		•
	– Pièces de rechange			
Service après-vente	– Efficacité	•		
	– Amabilité		•	
	– Rapidité de réponse		•	
	– Horaire			•

Remarques et .... :
Nous avons dû attendre 15 jours la livraison des .... de rechange.

Cette .... de satisfaction nous sera utile pour .... la qualité de nos services. Merci d'avoir pris quelques minutes pour y .... !

	Vrai	Faux
a. Le client n'est pas du tout satisfait du service de pièces de rechange.	☐	☐
b. Le client pense que les horaires d'ouverture du service après-vente sont insuffisants.	☐	☐
c. Le client apprécie le parfum des produits.	☐	☐

◼ Phonétique

6. Marquez les liaisons que vous entendez puis répétez.

a. Elles ont mis deux heures à remplir ce dossier de réclamation.

b. Je veux avoir un responsable au téléphone.

c. Mon assistant m'a dit que vous aviez téléphoné quand on était partis.

d. Je le connais : c'est un grand homme.

❶ Choisissez la bonne réponse. ..... /4

a. Notre service après-vente essaye de respecter notre principal ... : satisfaire nos clients.
☐ engagement   ☐ investissement
☐ traitement

b. Nous avons un logiciel de ... pour repérer des mots-clés et détecter des problèmes des clients.
☐ communication   ☐ satisfaction
☐ analyse sémantique

c. L'amélioration de notre service après-vente fait partie de notre ... .
☐ investissement   ☐ politique commerciale
☐ analyse

d. Les clients mécontents peuvent ... notre marque ; il faut être vigilants.
☐ liquider   ☐ dénigrer
☐ fidéliser

❷ Choisissez le mot correct. ..... /4

a. Ce client a fait une réclamation car l'emballage de son colis était *intact / abîmé*.

b. Pour engager des dépenses sur ce projet, il faut avant tout démontrer qu'il sera *commercial / rentable*.

c. Si cet incident *se reproduit / améliore*, nous devrons prendre des mesures.

d. Pour bénéficier de ce service complémentaire, il est nécessaire de payer *une réparation / un supplément*.

❸ Dans les phrases suivantes, choisissez le terme qui convient. ..... /4

a. Ce client a déposé une plainte, *alors / parce que* son problème n'a pas été résolu.

b. Il a été remboursé, *donc / vu qu'*il a été très insistant.

c. Votre colis est abîmé, *par conséquent / comme* nous allons vous livrer un nouveau produit.

d. *Puisque / Alors* vous insistez, je vais vous passer le responsable.

❹ Conjuguez le verbe entre parenthèses au temps qui convient. ..... /4

a. Pensez-vous que ces prestations .... (*être*) intéressantes ?

b. J'espère que les colis .... (*être livrés*) avant Noël.

c. Je ne crois pas qu'il .... (*pouvoir*) répondre à toutes les réclamations.

d. Souhaitez-vous que nous vous .... (*envoyer*) un lot supplémentaire ?

❺ Lisez ce document et dites si les affirmations sont vraies ou fausses. ..... /4

Cave à vin... chaud

Un habitant d'Alsting, en Moselle, achète au Darty de Sarreguemines une cave à vin pour 389 €. Un mois plus tard, il contacte le service après-vente (SAV): l'appareil ne produit pas de froid. Le technicien intervient mais la cave à vin ne fonctionne toujours pas correctement. Le client rappelle le SAV qui échange l'appareil. Le nouvel appareil, de même marque et identique au précédent, ne produit toujours pas de froid. Malgré les nombreuses interventions du SAV, rien ne change. Le client adresse une réclamation à Darty qui reste sans réponse. Interrogé, le directeur du magasin rétorque que la cave n'est plus sous garantie, faute d'une extension de garantie lors de l'achat. Un courrier envoyé au service consommateur de Darty demeure également sans réponse. Le client sollicite l'aide de l'UFC-Que Choisir de Moselle-Est. Dans un courrier recommandé au service consommateur de Darty, l'association locale demande l'application de la garantie légale des vices cachés, l'annulation de la vente et le remboursement de l'achat. Faute de réponse, l'association locale conseille au client de saisir le juge de proximité de Sarreguemines. Trois semaines avant la date d'audience, Darty se manifeste et propose au client la reprise de la cave à vin, son remboursement intégral et une carte cadeau d'un montant de 200 € à titre de dédommagement. Le consommateur exige le paiement du dédommagement par chèque bancaire et non sous forme de carte cadeau. L'enseigne a immédiatement accepté.

D'après www.quechoisir.org

	Vrai	Faux
a. Le client a adressé deux réclamations : l'une à son magasin Darty, l'autre au service consommateur de Darty.	☐	☐
b. Darty remplace la cave achetée par une autre cave identique.	☐	☐
c. Le technicien a réussi à réparer l'appareil.	☐	☐
d. Darty dédommage le client avec 200 € et rembourse le montant total de l'achat.	☐	☐

UNITÉ 6

Je reste zen

 LEÇON 1

- Le stress / Stressant(e)
- Privilégier
- La prévention
- Une répercussion
- Un turnover
- La démotivation
- Nier
- L'inadaptation
- Un symptôme
- Une surcharge

- Mettre en évidence
- Une obligation
- La qualité de vie
- L'improvisation
- Recréer
- Des saynètes
- Appréhender
- Faciliter
- L'angoisse
- L'anxiété

- Identifier
- Déployer

- Réagir
- Une boîte à outils
- Sensibiliser
- La détresse psychologique
- Un gadget
- Une offensive
- Le mieux-être ≠ Le mal-être

 LEÇON 2

- Le télétravail
- La navette
- Une source de
- Un entassement
- Un bouchon
- Extraire
- Un dérangement
- Propre à
- La concentration
- Induit(e)
- La jalousie
- Bénéficier d'un statut
- En faire plus
- La convivialité

- Passer le cap
- Un dispositif
- Une palette
- Engendrer
- Un équilibre
- Fiable
- Les partenaires sociaux

- Se porter volontaire
- Valider
- Un avenant
- Renforcer
- Un tutorat
- Un fauteuil ergonomique
- Un gain de productivité
- Tirer vers
- Prendre de la hauteur
- Conjointement
- Se déliter
- La clé de la réussite

- Une carte heuristique
- Une carte mentale
- Le consulting
- Une expertise
- La pensée visuelle
- Visualiser
- Une capacité
- Prioriser les informations
- Global(e)

LEÇON 3

- La fusion-acquisition
- S'agréger
- Une entité
- Un remaniement
- Psychique
- Une intrusion
- D'emblée
- La médiatisation
- Un plan social
- Insidieux / Insidieuse
- Rampant(e)
- Le flou
- Une rumeur
- Gamberger
- La visibilité
- Toxique

- Racheter / Un rachat
- Un expert
- Le droit du travail
- Licencier / Un licenciement
- L'ancienneté
- Une qualification
- Un avantage acquis
- Une convention
- Un accord unilatéral
- Une fraude
- Indemniser / Une indemnité
- Crucial(e)
- Une posture d'écoute
- La conduite du changement

Compréhension de l'oral

1. Écoutez l'interview et répondez aux questions.

a. Qui est la personne interviewée ? De quoi va-t-elle parler ?

....

b. En quoi l'étude menée par le spécialiste est-elle innovante ?

....

c. Quelle est la question de départ de cette étude ?

....

d. L'*open space* est-il synonyme de qualité de vie au bureau ? Justifiez.

....

e. Pour l'expert, un « *open space* intelligent » c'est : ....

Vocabulaire

2. Complétez le tableau avec un nom ou un verbe, puis trouvez l'adjectif.

Verbe	Nom	Adjectif
....	Le stress	....
Prévenir	....	....
Nier	....	....
....	L'adaptation	....
Angoisser	....	....
....	La démotivation	....
Sensibiliser	....	....

3. Complétez le texte avec les mots proposés.

services – efficacité – effets – privilégier – stressantes – employés – prévention – qualité de vie – démotivés

Au bureau, il est important d'éviter les situations .... En effet, une forte exposition au stress a forcément un impact sur la ...., mais aussi sur le fonctionnement des différents .... Les employés sont ...., la production perd en .... Les dirigeants doivent .... la santé de leurs .... sur le lieu de travail. Il est donc important qu'ils mettent en place des mesures de .... collective pour combattre les .... du stress au bureau.

4. Donnez les contraires des termes suivants.

a. La motivation → ....

b. L'inadaptation → ....

c. Nier → ....

d. Le mieux-être → ....

e. Calme → ....

f. Des répercussions négatives → ....

g. La cause → ....

Grammaire

5. Conjuguez les verbes aux temps qui conviennent.

a. Le directeur ne croit pas que ces journées de formation .... (*être*) utiles.

b. Monsieur Perez a insisté pour que tu .... (*aller*) au séminaire sur la prévention du stress.

c. Je préfère que tu .... (*assister*) à la réunion à ma place.

d. Je ne pensais pas que je .... (*souffrir*) de stress au travail.

e. Ton responsable suppose que tu .... (*remettre*) un compte-rendu de la formation reçue.

Compréhension de l'écrit

6. Lisez ce texte et répondez aux questions.

La méditation au travail gagne du terrain

Avant, pour être un jeune cadre dynamique, il fallait courir le marathon, jouer au tennis ou aller à la salle de musculation. Aujourd'hui, ça ne suffit plus : pour être dans le vent, il faut aussi méditer...

Le chef cuisinier Thierry Marx fait partie de ces adeptes de la méditation à tout moment de la journée, même au travail, en plein coup de feu. Surtout au travail ! Comme le magnat de la presse Rupert Murdoch, ou le grand patron de Ford.

Et pourtant, même si les grands de ce monde pratiquent la méditation et qu'elle a conquis les entreprises les plus branchées, la méditation au travail continue à faire sourire. Surtout parce qu'on a tout de suite en tête des images de gens assis en lotus et parce que la méditation a une forte connotation religieuse.

La méditation, ça n'est rien d'autre qu'un moment de calme. Chez Google, en Californie, ce type de pratique est organisé. Chade-Meng Tan, natif de Singapour et ingénieur chez Google, a mis en place des ateliers de méditation dans l'entreprise. Il a déjà formé deux mille salariés, et il y a une longue liste d'attente... Il est aussi l'auteur d'un best-seller *Connectez-vous à vous-même*.

D'après www.franceinfo.fr, 17 juin 2014.

a. Quelle est la différence entre un jeune cadre d'avant et celui d'aujourd'hui, d'après l'article ?

....

b. Pourquoi la méditation au travail n'est-elle pas prise au sérieux ?

....

c. Qui est Chade-Meng Tan ? Qu'a-t-il fait ?

....

Production écrite

7. Vous avez remarqué chez vos collaborateurs des problèmes liés au stress. Vous décidez d'en informer votre supérieur hiérarchique. Vous lui expliquez quelles sont, selon vous, les causes du problème, et vous proposez des solutions. Vous donnez des exemples de situations qui ont eu lieu au bureau pour illustrer les symptômes de stress.

| Supprimer | Indésirable | Répondre | Rép. à tous | Réexpédier | Imprimer |

De :

À :

Cc :

Objet :

█ Compréhension de l'oral 🎧

1. Écoutez l'enregistrement puis répondez aux questions.

a. Quel est le thème de la journée de formation ?

....

b. Quels sont les autres termes pour désigner une carte heuristique ?

....

c. Qu'est-ce qu'une carte heuristique ?

....

d. À quoi sert une carte heuristique ?

....

█ Vocabulaire

2. Complétez le texte avec les mots suivants.

télétravail – résidence – frais – espaces – employeurs – recruter – contrôler – déplacements – relations – open space – avantages – employés

Dans les années 1990, les États-Unis ont exporté en Europe le concept d'... . Cela a révolutionné nos .... de travail. Cela a également modifié la communication entre les .... d'une entreprise. Aujourd'hui, c'est le .... qui séduit les européens. Cette modalité permet, par exemple, à l'employeur de .... des talents, sans que le lieu de .... de ceux-ci ne représente un problème. Les salariés qui pratiquent le télétravail évitent les .... Les employeurs font des économies sur les .... immobiliers. Cependant le télétravail soulève quelques questions. Comment .... les salariés ? Que deviennent les .... humaines ? Par ailleurs, les études montrent que, au final, les .... du télétravail sont plus importants que les inconvénients pour les salariés comme pour les ....

3. Classez les termes suivants dans le tableau, selon qu'ils se rapportent au travail sur place, au télétravail, ou les deux.

| faire la navette | un bouchon sur la route | la gestion du temps de travail |

| un avenant au contrat | gagner en productivité | les horaires de travail | l'autonomie |

| un déjeuner de travail | une source de stress | un open space |

Travail sur place	Télétravail	Les deux
....	....	....
....	....	....
....	....	....
....	....	....
....	....	....

4. Choisissez le terme qui convient dans ce texte de présentation sur les cartes heuristiques.

Les cartes heuristiques – aussi appelées *cartes mentales / logiciels* – sont utiles dans de nombreux domaines *professionnels / visuels*. Ces cartes ont pour caractéristique principale de ne garder que *le titre / l'essentiel* de l'information. Porter son attention sur le thème principal permet de *concentrer / gagner* du temps. La carte heuristique est constituée d'un centre d'où partent des *branches / mots clés*. Sur la carte, on n'écrit pas de phrases, on utilise des *mots-clés / branches* et aussi des images, des dessins et des couleurs. Ces différents éléments permettent de *visualiser / modifier* rapidement les principales idées de la carte. Il est important de donner un *centre / titre* à la carte mentale : il résume l'idée principale. Une carte heuristique peut être complétée, modifiée et enrichie à tout moment. Il existe de nombreux *professionnels / logiciels* sur le marché, gratuits et payants, pour créer des cartes mentales originales, claires et vivantes.

Grammaire

5. Complétez les phrases avec un pronom possessif.

a. Le logiciel de cartes heuristiques que j'ai installé ne me plaît pas beaucoup ; je préfère ....

b. Ce n'est pas la carte de Dany qui a été choisie pour illustrer le projet : c'est ....

c. Pierre et Anne ont présenté un projet extraordinaire : c'est .... qui a été retenu.

d. N'hésitez pas à utiliser mon ordinateur si vous avez déjà éteint ....

e. Les propositions avancées par votre service sont intéressantes, mais .... sont plus innovantes.

f. J'ai lu les remarques du dossier de Sylvie et Laurent : elles sont plus pertinentes que ....

Production écrite

6. Vous avez récemment changé de contrat de travail : désormais vous travaillez à 50 % en télétravail. Vous écrivez à un ami pour lui faire part de votre nouvelle situation et vous commentez les avantages et les inconvénients de cette modalité de travail.

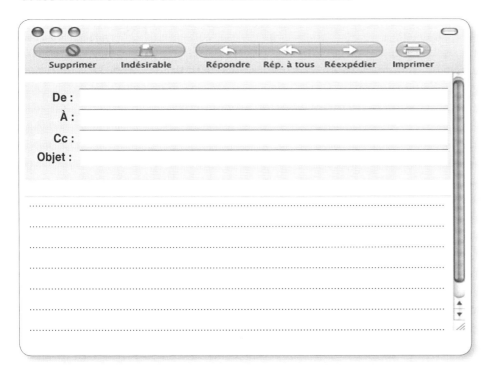

Je reste zen

Compréhension de l'oral

1. Écoutez l'enregistrement puis répondez aux questions.

a. De quel métier est-il question ?

....

b. Quel profil doit avoir un conseiller en fusions-acquisitions ?

....

c. Quelles connaissances et quelles qualités doit-il posséder ?

....

d. Quels sont ses horaires de travail ?

....

e. Comment est la rémunération ?

....

Vocabulaire

2. Complétez le tableau avec un nom ou verbe.

Verbe	Nom	Verbe	Nom
Racheter	....	....	Un licenciement
....	Un remaniement	....	Un accord
S'agréger	....	Indemniser	....

3. Complétez le texte avec les mots proposés.

code – racheté – inquiétude – inchangés – rachat – emplois – changements – culture

Les grandes manœuvres autour d'Alstom sont source d'.......................... pour les 18 000 employés du groupe en France. Emplois, salaires... : que se passe-t-il pour les salariés en cas de cession ?
Le .... du travail prévoit un transfert automatique de tous les contrats de travail en cours, les salaires étant .... Cependant, à chaque fois qu'il y a fusion ou ...., il est rare qu'on ne touche pas à l'emploi. Ainsi un ancien salarié de chez Rhodia raconte : « Ils ont dit : "faites-nous confiance, tout ira bien", mais nous avons perdu plusieurs centaines d'.......................... ». Et l'impact sur la .... de l'entreprise est très variable. Lorsque Péchiney, grand groupe industriel français, est .... par le canadien Alcan, il y a eu des .... très profonds dans la culture de l'entreprise.

D'après www.tahiti-infos.com, 29 avril 2014.

Grammaire

4. Complétez les phrases avec un marqueur d'opposition – *alors que, même si, quoique, bien que* – et mettez les verbes entre parenthèses aux temps qui conviennent.

a. .... rien n'.......................... (*être*) encore confirmé, les rumeurs de fusion circulent déjà.

b. Patricia envisage déjà un changement de poste, ... ses nouvelles conditions .... (*ne pas être*) encore définies.

c. .... nos contrats .... (*ne pas être*) modifiés, je pense que nous subirons une réduction de notre salaire.

d. Nous sommes arrivés à un consensus, ... les négociations .... (*être*) houleuses.

5. Terminez les phrases suivantes.

a. Je pensais qu'en passant au télétravail j'allais travailler moins alors que _____

b. Après la fusion, les contrats de la plupart des employés ont subi des modifications, bien que _____

c. Le rachat de notre société a entraîné des changements dans l'organigramme alors que _____

d. Le siège a changé d'adresse et je pense que je vais devoir déménager bien que _____

▌ Compréhension de l'écrit

6. Vous lisez ce message sur un forum. Répondez aux questions.

Forum **Chercher du travail !**	
Myriam Posté le 12 mai 2014	*Bonjour* *Je m'appelle Myriam et je suis télésecrétaire depuis 6 mois dans le Jura, où je suis installée en tant qu'auto-entrepreneure. Je dois dire que je suis vraiment très déçue : je n'ai aucun client…* *J'ai pourtant fait un site, déposé de la publicité dans les mairies, envoyé des mailings et bien sûr contacté pas mal d'entreprises… en vain.* *J'ai répondu à beaucoup d'annonces, sans succès. Quelqu'un pourrait me dire comment s'y prendre pour avoir des clients sérieux ? Certains d'entre vous connaissent peut-être des entreprises qui recrutent des secrétaires en télétravail ? On m'a dit qu'il y en avait plusieurs dans la région.* *Je vous remercie d'avance de vos réponses.* *Myriam*

a. Que recherche Myriam ? Dans quelle région ?

b. Quelle est sa profession ?

c. De quoi se plaint-elle ?

d. Que demande-t-elle aux lecteurs du forum ?

e. Qu'a-t-elle entendu dire ?

▌ Phonétique

7. Écoutez et barrez les consonnes non prononcées.

a. Vous devez vous calmer pour éviter le stress.

b. Des dizaines de personnes ont assisté à deux conférences sur les conditions de travail.

c. Les cartes heuristiques permettent de mieux gérer son temps.

d. À l'annonce de la fusion, les rumeurs ont commencé à circuler.

1 Choisissez le terme qui convient. ...... /4

a. Le stress au bureau est souvent simplement dû à une ... de travail.
☐ obligation ☐ surcharge
☐ source

b. Les patrons doivent veiller sur la santé de leurs employés : une ... aux troubles provoqués par le stress est nécessaire.
☐ offensive ☐ sensibilisation
☐ motivation

c. Les ... sont souvent source d'inquiétude chez les employés.
☐ qualifications ☐ fusions-acquisitions
☐ cultures d'entreprise

d. Lors des fusions, il est nécessaire de respecter le ... .
☐ accord ☐ remaniement
☐ droit du travail

2 Dans les phrases suivantes, quel est le terme correct ? ...... /4

a. Les cartes mentales sont utiles pour *organiser / orienter* ses idées.

b. Une carte mentale se compose d'un centre et de *lignes / branches*.

c. Les cartes mentales me servent à *prioriser / motiver* les informations que je souhaite développer.

d. Une carte mentale donne une vision *globale / détaillée* d'un thème.

3 Conjuguez les verbes aux temps qui conviennent. ...... /4

a. Je pense que Lucas .... (*pouvoir*) travailler à domicile.

b. Adèle ne pense pas que les cartes heuristiques .... (*être*) utiles

c. Les salariés aimeraient que le directeur .... (*aller*) leur parler de la fusion-acquisition.

d. Nous ne pensions pas que l'entreprise .... (*connaître*) des difficultés.

4 Choisissez la bonne réponse. ...... /4

a. Même si la fusion-acquisition *s'est / se sera* bien passée, il y a des mécontents.

b. Bien que son responsable *s'était / se soit* montré très compréhensif, il ne lui a pas accordé le télétravail.

c. Oscar a décidé de partir en vacances alors qu'il *aura / a* beaucoup de travail

d. Tandis que le télétravail *se développe / se développait* ...., certains salariés ont un trajet de plus en plus long.

5 Lisez l'article et dites si les affirmations sont vraies ou fausses. ...... /4

Plus zen au boulot qu'à la maison ?

Vous pensez que c'est au bureau que votre niveau de stress explose ? Erreur ! Selon une nouvelle étude américaine, les femmes sont plus sous pression une fois rentrées chez elles.

Des chercheurs de l'université de Pennsylvanie aux États-Unis, ont prélevé la salive de 122 personnes les jours de la semaine et le week-end, à différentes heures. Leur but : mesurer et comparer le taux de cortisol, une hormone liée au niveau de stress, au travail et à la maison. Grâce à ces analyses, ils ont réussi à démontrer que, dans l'ensemble, les gens étaient plus stressés chez eux qu'au bureau ! Parallèlement, ils ont demandé à ces 122 personnes quel était l'endroit où elles se sentaient les plus heureuses. Si les hommes apprécient leur foyer après une dure journée de labeur, la majorité des femmes disent être plus satisfaites au travail. À la maison, elles doivent encore s'occuper des enfants et des tâches ménagères.

D'après www.mariefrance.fr, 26 Mai 2014

	Vrai	Faux
a. Pour mesurer le stress, on prélève de la salive.	☐	☐
b. Les hommes sont plus stressés au bureau qu'à la maison.	☐	☐
c. On mesure le stress grâce à une hormone.	☐	☐
d. Les femmes ont beaucoup de tâches à la maison : c'est ce qui provoque le stress chez elles.	☐	☐

UNITÉ 7

En voyage d'affaires

🎧 LEÇON 1

- Une formalité
- Un passeport
- Un visa
- Un taxi

- Un vol aller/retour
- Effectuer
- Une classe
- Business

- Un repas
- Un bagage
- Un terminal
- Une escale
- À bord
- Une condition tarifaire
- Une annulation
- Sans frais

- Un accès
- Un fauteuil roulant
- Une rampe d'accès
- Aménager
- Accéder
- Un voucher

🎧 LEÇON 2

- Un excédent de bagage
- Le comptoir d'enregistrement
- La compagnie aérienne
- La carte d'embarquement
- Enregistrer un bagage
- Un forfait
- Un surplus

- Les passagers
- À destination de
- Être invité(e) à se rendre
- La porte d'embarquement
- Immédiat(e)
- En provenance de
- La bordure
- Le quai

- Desservir
- Un incident
- Occasionner un retard
- Rétablir

- Déclarer / Déclarer en ligne
- Effectuer une déclaration
- Se munir de
- Un reçu
- Une étiquette
- Un dédommagement
- La perte
- Une convention
- Un justificatif
- Un formulaire
- Un numéro de suivi
- Le pays de résidence

🎧 LEÇON 3

- Efficacement
- Être persuadé(e)
- Biologique / Bio
- Un packaging
- Sobre
- Sophistiqué(e)
- Un label
- Un(e) responsable qualité
- La fiche technique
- Un ingrédient
- Une norme
- Une certification

- Désespérer
- Salvateur
- Conclure un marché
- Forcer la main

- Sans en avoir l'air
- Se dérober
- Commettre une erreur
- Un moment clé
- Un deal
- Arracher un accord
- Appâter
- Récapituler

- Une défaillance
- Un représentant
- La chambre de commerce
- Consolider
- Une implantation
- Une aide financière
- Une aide logistique

En voyage d'affaires

Compréhension de l'oral 🎧

1. Écoutez l'enregistrement et répondez.

a. Qui sont les deux personnes ?

....

b. Que veut l'homme qui téléphone ?

....

c. Quel est le numéro de son dossier ?

....

d. Quand l'homme veut-il partir ?

....

e. Quel est la particularité du vol de 13 h 20 ?

....

f. Complétez les informations du vol choisi par l'homme.

- Aéroport de départ : ....
- Aéroport d'arrivée : ....
- Heure de départ : ....
- Heure d'arrivée : ....

☐ Vol direct   ☐ Vol avec escale

☐ Modification faite la veille du départ : supplément de 80 euros

☐ Modification faite avant la veille du départ : gratuit

Vocabulaire

2. Donnez la définition de ces mots.

a. Une escale : *un arrêt entre deux vols*

b. Des frais : *somme d'argent pour un raison spécifique*

c. Un voucher : ....

d. Une rampe d'accès : ....

3. Complétez les phrases avec les mots proposés.

conditions – bagages – compagnie – destination – économique – affaire – escale

a. Je vais sur le site de la ....*compagnie*.... aérienne avec laquelle j'ai choisi de voyager.

b. Je choisi la ville de départ et la ....*destination*.... .

c. Je coche la case vol direct si je ne veux pas faire d' ....*escale*.... .

d. Je peux choisir également de voyager en classe ....*économique*.... ou en classe ....*affaire*.... .

e. Mon billet inclut deux ....*bagages*.... de 23 kilos chacun.

f. Si je voyage en Business, les ....*conditions*.... tarifaires sont différentes.

4. Complétez le tableau avec un nom ou un verbe.

Nom	Verbe	Nom	Verbe
Un accès	....	Une réservation	....
....	Aménager	....	Modifier
....	Annuler	....	Se déplacer

Grammaire

5. Complétez les phrases avec les pronoms démonstratifs proposés.

celui-ci (x2) – celui-là (x2) – ceux-ci – ceux-là (x2) – celle-ci – celle-là (x2) – celles-ci

a. Je ne sais pas quel vol choisir, j'hésite entre .... et ....

b. Cette chambre est très bien mais .... est beaucoup mieux.

c. Cet hôtel est très bien situé, ... aussi mais .... est en plein centre-ville et sa situation est idéale.

d. Cette valise n'est pas la mienne, ... non plus. La mienne, c'est .... !

e. Ces conditions tarifaires n'incluent pas la modification du billet. Regarde, ... permettent de changer le billet avant le départ gratuitement !

f. Ces hôtels ne sont pas accessibles aux personnes en fauteuils roulants. En revanche, ... le sont.

g. Ces vols incluent une escale. .... aussi, mais .... sont directs.

6. Complétez avec les pronoms indéfinis suivants.

quelqu'un – plusieurs – tous – toutes – certaines – quelques-uns – quelqu'un – personne

a. *Quelqu'un* vous attendra à l'aéroport pour vous amener à votre hôtel.

b. Vous partirez de Roissy Charles de Gaulle avec *toutes* des collaboratrices de la zone Est.

c. Vous rencontrerez *plusieurs / certaines* de nos clients pendant ce voyage.

d. *Toutes* les formalités sont à jour pour votre voyage.

e. *Certains* personnes arriveront le jour suivant.

f. *Personne* ne sait que vous arrivez demain ?

g. Votre assitante a prévenu *quelqu'un* que vous arrivez mercredi ?

h. .... vos collègues sont bloqués à Pékin à cause d'une grève.

Compréhension de l'écrit

7. Associez chaque question à la réponse qui convient.

a. Avez-vous des contraintes particulières pour la chambre d'hôtel ? ⑤

b. Vous souhaitez voyager en quelle classe ? ④

c. Les formalités sont-elles à jour ? ③

d. L'organisation du voyage au Brésil est teminée ? ②

e. Pouvez-vous modifier les dates de notre voyage sans frais ? ⑥

f. Votre réservation est pour 2 chambres individuelles pour 3 nuits ? ①

1. Non, nous restons 5 jours et nous sommes 4 collaborateurs.

2. Non, nous sommes en train de régler les derniers détails.

3. Bien sûr, vos visas sont prêts depuis une semaine.

4. Affaire, c'est pour un déplacement professionnel.

5. J'ai un collègue en fauteuil roulant et je voudrais m'assurer que l'accès est facile pour les personnes à mobilité réduite.

6. Oui, si vous voyagez en classe affaires, c'est compris dans le tarif.

Question a	Question b	Question c	Question d	Question e	Question f
Réponse	Réponse	Réponse	Réponse	Réponse	Réponse ....

En voyage d'affaires

Compréhension de l'oral

1. Écoutez l'enregistrement et répondez.

a. Qu'arrive-t-il à Maxime ? Pourquoi ?

....

b. Quand le problème sera-t-il résolu ?

....

c. Que va faire Maxime pour arriver à l'heure ?

....

d. Choisissez les bonnes réponses.

☐ Maxime a prévenu Jacques qu'il serait peut-être en retard.

☐ Maxime demande à Catherine de prévenir Jacques de son retard.

☐ Maxime va prévenir Jacques de son retard éventuel.

☐ Maxime tient Catherine au courant dès qu'il a plus d'informations.

☐ Maxime tient Catherine au courant dès qu'il est dans le train.

☐ Maxime tient Catherine au courant dès que Jacques le rappelle.

Vocabulaire

2. Complétez le schéma avec les mots proposés. Attention, tous les mots n'ont pas leur place dans ce shéma !

métro – aéroport – gare – avion – train – chambre – voucher – vol – quai – porte d'embarquement – correspondance – voiture de location – restaurant – salle de bain

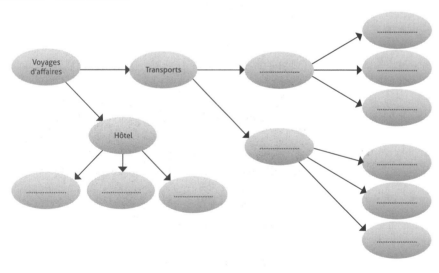

3. Complétez les phrases avec les mots proposés.

dédommagement – compagnie – perte – excédent – destination – départ – embarquement – passagers – supplément

a. Les _passagers_ sont invités à se rendre à la porte d' _embarquement_ numéro 10.

b. Le train numéro 8792 à _destination_ de Paris-Montparnasse va entrer en gare.

c. Vous avez un _excédent_ de bagages, vous devez donc payer un _supplément_ de 60 euros.

d. La _compagnie_ aérienne se réserve le droit de modifier l'heure du _départ_ .

e. La compagnie vous assure un _dédommagement_ en cas de _perte_ de bagage.

Grammaire

4. Terminez les phrases librement.

a. Si j'avais su que cette compagnie avait une si mauvaise réputation, _____

b. Si vous aviez choisi un TGV au lieu d'un TER, _____

c. S'il n'y avait pas eu d'accident sur la voie, _____

d. Si elles étaient arrivées à la gare Montparnasse, _____

e. Si tu avais pris le train suivant, _____

5. Mettez les verbes aux temps qui conviennent.

a. Si je _____ (*ne pas entendre*) l'annonce de la grève de la compagnie aérienne à la radio, je _____ (*aller*) à l'aéroport pour rien.

b. Si tu _____ (*mettre*) 3 kilos de plus dans ta valise, tu _____ (*devoir*) payer un excédent bagage.

c. Vous _____ (*pouvoir*) me téléphoner si vous _____ (*ne pas tomber*) en panne de batterie.

d. Si nous _____ (*savoir*) que la différence de prix entre la classe affaires et la classe économique était si petite, nous _____ (*voyager*) en classe affaires.

e. Si je _____ (*ne pas écrire*) à la compagnie pour me plaindre, elle _____ (*ne pas me dédommager*) pour la perte de ma valise.

Compréhension de l'écrit

6. Mettez dans l'ordre les phrases de ce mail de réclamation à une compagnie aérienne.

Supprimer — Indésirable — Répondre — Rép. à tous — Réexpédier — Imprimer

De : Monsieur Azori

À : Service clients

Cc :

Objet : Réclamation

Madame, Monsieur,

a. Dans l'attente d'une réponse de votre part, veuillez recevoir mes salutations les plus sincères. Monsieur Azori.

b. J'ai dû acheter des produits de toilette et des vêtements pour une somme de 260 euros. Je joins les copies des factures à mon message pour obtenir de votre compagnie un remboursement.

c. Voyant qu'il n'arrivait pas, je suis allé au comptoir de votre compagnie et j'ai rempli un formulaire.

d. Je suis arrivé à destination et j'ai attendu mon bagage.

e. J'ai voyagé avec votre compagnie la semaine dernière et je viens vous faire part de mon mécontentement.

f. Ils m'ont assuré que mon bagage arriverait dans quelques jours mais ça n'a pas été le cas.

g. En effet, j'ai enregistré un bagage mais il n'est jamais arrivé à destination.

1	2	3	4	5	6	7
phrase	phrase	phrase	phrase	phrase	phrase	phrase .....

En voyage d'affaires

Compréhension de l'oral

1. Écoutez l'enregistrement et répondez.

a. Dans quels pays sont situées les villes où Vanessa s'est rendue pendant son voyage d'affaires ?

b. Où a-t-elle rencontré les clients de RDHI ?

c. Que pensent-ils de leur collaboration avec l'entreprise de Vanessa ?

d. Qu'est-ce que Vanessa espère, pour l'avenir, de la collaboration de son entreprise avec RDHI ?

e. Que pense Vanessa de la future négociation avec le nouveau fournisseur ? Pourquoi ?

Vocabulaire

2. Associez les synonymes.

a. Un packaging
b. Un deal
c. Appâter
d. Une norme
e. Une défaillance
f. Forcer la main

1. Un problème
2. Obliger
3. Une règle
4. Un accord
5. Attirer
6. Un emballage

3. Donnez le verbe correspondant aux noms suivants.

Nom	Verbe	Nom	Verbe
Une conclusion	....	Une consolidation	....
Une implantation	....	Un signalement	....
Une certification	....	Une réunion	....

Grammaire

4. a. Reliez chaque cause à sa conséquence.

Cause

a. Il est rentré de mission dans la nuit du dimanche au lundi.
b. J'ai rencontré Madame Monet.
c. J'ai eu un problème à l'aéroport.
d. Je viens d'arriver à l'instant.
e. Il lui a laissé deux jours pour réfléchir.

Conséquence

1. Je lui ai présenté le nouveau packaging.
2. Je n'ai pas eu le temps de vous envoyer mon compte-rendu.
3. Il l'a rappelé pour accepter une de ses propositions.
4. Il était très fatigué.
5. Je n'ai pas pu rencontrer nos collaborateurs comme prévu.

b. Récrivez les phrases en introduisant un connecteur de conséquence. Utilisez un connecteur différent pour chaque phrase.

- ....
- ....
- ....
- ....

Compréhension de l'écrit

5. Lisez le compte-rendu de mission et répondez aux questions.

Compte-rendu de mission
Bruxelles – du 12 au 17 septembre 2014

Objet : – Participer au salon professionnel.

– Faire le point avec les distributeurs.

– Aller à la Chambre de Commerce.

▶ **Salon professionnel** (12-15 septembre)
Présence sur le stand pendant 4 jours.
Rencontre avec des clients actuels et potentiels en vue de futures collaborations.

▶ **Rencontre avec les distributeurs** (16 septembre)
La collaboration avec les différents distributeurs est satisfaisante. Des améliorations sont à apporter, notamment pour la livraison. On nous a signalé quelques problèmes.

▶ **Visite à la Chambre de Commerce** (17 septembre)
Réunion avec les représentants de la Chambre de Commerce.Nous avons abordé la question d'une aide financière et logisitique. Ils étudient notre dossier. Nous aurons une réponse dans un 1 mois.

a. Quand s'est déroulée la mission ? Combien de jours a-t-elle duré ?

....

b. Qui l'employé a-t-il rencontré pendant cette mission ?

....

c. Comment se passe la collaboration avec les distributeurs ? Expliquez.

....

d. Quel était l'objectif de la réunion avec la Chambre de Commerce ?

....

e. Cochez les phrases exactes.

☐ L'entreprise avait un stand sur le salon professionnel de Bruxelles pendant 4 jours.

☐ Il n'y a jamais eu de problème au niveau des livraisons.

☐ La Chambre de Commerce pense aider financièrement l'entreprise à s'implanter au Maroc.

☐ Les distributeurs sont satisfaits de la collaboration avec l'entreprise.

☐ La rencontre avec les disributeurs a eu lieu le 17 septembre.

Phonétique

8. Écoutez et répétez.

a. Remplissez ce formulaire dès que vous pouvez.

b. Ils ont dit que le vol était annulé, tu es sûr ?

c. Vous pouvez annuler mon billet, s'il vous plaît ?

d. Vous volez sur cette ligne depuis plus longtemps que lui.

❶ Remplacez le mot en gras par le pronom démonstratif qui convient.   ..... /5

a. Cet hôtel est très bien situé.
- ☐ celle-ci   ☐ ceux-ci   ☐ celui-ci

b. Ces bagages ne sont pas à moi.
- ☐ celles-ci   ☐ celui-ci   ☐ ceux-ci

c. Ces conditions tarifaires permettent de modifier le vol retour la veille du départ.
- ☐ celui-ci   ☐ celles-ci   ☐ celle-ci

d. Les commerciaux de Paris arrivent demain et **les commerciaux de Genève** mardi.
- ☐ ceux-ci / ceux-là   ☐ celles-ci / celles-là
- ☐ ceux-ci / celles-là

e. La modification du vol aller coûte 120 euros et **la modification pour le vol retour** 80 euros.
- ☐ celle-ci / celui-là   ☐ celui-ci / celle-là
- ☐ celle-ci / celle-là

❷ Conjuguez les verbes aux temps qui conviennent.   ..... /4

a. Nous .... (*vérifier*) que le billet était modifiable car nous savions qu'il faudrait peut-être le changer.

b. Il .... (*prendre*) un bagage supplémentaire parce qu'il n'avait pas assez de place.

c. Tu .... (*devoir*) penser qu'il y aurait un problème avec cette compagnie aérienne.

d. Je .... (*ne jamais imaginer*) arriver le premier en prenant le train !

❸ Choisissez la réponse qui convient.   ..... /3

a. Comme j'étais en retard, ...
- ☒ j'ai raté mon avion.   ☐ j'ai réussi à embarquer.
- ☐ j'ai payé un supplément.

b. Je suis parti en mission pendant trois jours donc...
- ☐ j'ai reçu mon compte-rendu de mission lundi matin.
- ☒ j'ai fait mon compte-rendu de mission lundi matin.
- ☐ j'ai rédigé mon compte-rendu de mission avant de partir.

c. La chambre de commerce nous a aidé à nous implanter dans cette ville alors...
- ☒ nous sommes allés remercier ses représentants.
- ☐ nous n'avons pas besoin de rencontrer ses représentants.
- ☐ nous avons refusé de rencontrer les représentants.

❹ Associez chaque mot à sa définition.   ..... /5

a. Un compte-rendu ⑤
b. Une négociation ①
c. Un excédent ④
d. Une convention ③
e. Un dédommagement ②

1. Une discussion d'affaires afin d'aboutir à un accord.
2. Une compensation ou réparation d'un dommage subi.
3. Un accord passé entre des personnes ou des groupes.
4. Quelque chose en plus d'une quantité prévue.
5. Un rapport de mission professionnelle.

a	b	c	d	e
....	....	....	....	....

❺ Lisez le mail et dites si les phrases sont vraies ou fausses ?   ..... /3

Supprimer	Indésirable	Répondre	Rép. à tous	Réexpédier	Imprimer

De : Grégory
À : Pascal
Cc :
Objet : Négociations

Bonjour Pascal,

Comme prévu, j'ai rencontré quelques clients potentiels la semaine dernière à Casablanca. Les négociations sont difficiles. Ils m'ont dit qu'ils avaient besoin de réfléchir avant de me donner une réponse définitive. J'espère que nous arriverons à conclure un marché et qu'ils ne vont pas changer d'avis.

Deux des trois potentiels clients m'ont semblé encore hésitants mais j'espère avoir réussi à les convaincre avec notre tout nouveau produit. J'ai mis en avant tous les avantages.

Je te tiens au courant dès que j'ai des nouvelles.

Grégory

	Vrai	Faux
a. Gégory a rencontré des clients la semaine dernière au Maroc.	☒	☒
b. Il a signé un contrat.	☐	☒
c. Les clients n'ont pas hésité avant de signer.	☐	☒
d. Les négociations ont été faciles.	☐	☒
e. Grégory a mis en avant les avantages.	☒	☐
f. Grégory attend une réponse des clients.	☒	☐

Incollable sur les réglementations

🎧 LEÇON 1

- Un marché public
- Une collectivité territoriale
- Un contribuable
- L'influence
- Un principe
- Le libre-accès
- La transparence
- La corruption
- Un appel d'offres

- Un délai d'exécution
- Une notification
- Une procédure
- La mise en concurrence
- Allégé(e)
- Un jugement
- La pertinence
- Attester
- Une obligation fiscale

- Lu et approuvé
- Un pli cacheté

- Un prestataire
- L'autonomie
- Une batterie rechargeable
- Mensuel(le) / Hebdomadaire / Quotidien(ne)
- Prévisionnel(le)

🎧 LEÇON 2

- Bricoler / Le bricolage
- Un(e) réfractaire
- Une astreinte
- Provisoire
- Être concerné(e)
- Dérogatoire
- Plaider
- Encourir
- Un dommage
- Imminent(e)
- Au profit de
- Dominical(e)
- Une violation
- Flagrant(e)

- La commission européenne
- Une contribution
- Le développement durable
- Une partie prenante
- Un riverain

- Une vision globale
- La compétitivité
- Un observatoire
- L'insertion ≠ L'exclusion
- L'inégalité
- Équitable
- Vivable

- L'embouteillage
- Entreprendre une démarche
- Une bonbonne
- Une fontaine
- Le dégraissage
- Des débouchés
- Se démarquer
- Un solvant
- Nouer des partenariats
- En circuit fermé
- Un programme d'alphabétisation

🎧 LEÇON 3

- Infliger
- Une mise en conformité
- Un contentieux
- La confidentialité
- Fusionner
- Répressif / Répressive
- Le ciblage

- Un comparateur / Un essai comparatif
- Un banc d'essai
- Incriminer
- Une base de données
- Un rappel de produit
- Un(e) bénévole
- Un dérapage
- Une entente commerciale
- Une pratique abusive
- Préjudiciable
- La jurisprudence
- Un lobby
- Une instance de régulation

- L'open data
- Un usager / Une usagère

- Un concepteur / Une conceptrice
- Un vecteur d'innovation
- Le taux de remplissage
- L'affluence
- La régulation
- Le *crowdsourcing*
- La géolocalisation
- Une donnée publique

- Recenser
- Une information comptable
- Un incident de paiement
- La solvabilité
- Une compagnie d'assurance
- Le secret professionnel
- Un établissement de crédit / de paiement
- L'octroi d'une aide
- La passation
- Une rectification
- Disposer d'un droit de
- Être immatriculé(e)
- Le registre du commerce

Incollable sur les réglementations

Compréhension de l'oral

1. Écoutez l'enregistrement et répondez.

a. En quoi consiste l'appel d'offres lancé par la ville de Paris en 2010 ?

b. Combien de candidats ont répondu à l'appel d'offres ?

c. Qui a remporté l'appel d'offres ?

d. Quelles sont les caractéristiques de la voiture qui a remporté l'appel d'offres ?

e. Combien de voitures sont mises en service ?

f. Combien payent les abonnés pour 1 heure ? Pour une demi-heure ?

g. Combien le groupe choisi a-t-il investi dans le projet ?

h. À quoi servent les 800 agents sur le terrain ?

Vocabulaire

2. Associez chaque mot à sa définition.

a. Un marché   •

b. La transparence   •

c. Un prestataire   •

d. Un contribuable   •

e. L'autonomie   •

• **1.** Personne qui fournit des biens ou des services à des clients.

• **2.** Fait de ne pas avoir besoin de dépendre de quelqu'un ou de quelque chose.

• **3.** Ne rien cacher.

• **4.** Convention verbale ou écrite entre vendeurs et acheteurs.

• **5.** Personne qui paye des impôts, qui participe aux dépenses publiques.

3. Retrouvez dans cette grille 6 mots cachés horizontalement (de gauche à droite) ou verticalement (de haut en bas).

V	P	A	T	I	L	N	M	R
P	R	O	C	E	D	U	R	E
L	I	F	B	A	O	N	I	G
I	N	M	E	N	S	U	E	L
O	C	A	T	B	U	O	G	E
C	I	R	U	U	I	S	P	M
H	P	R	B	T	I	P	T	E
V	E	C	F	I	O	N	I	N
L	J	U	G	E	M	E	N	T

a. ....

b. ....

c. ....

d. ....

e. ....

f. ....

Grammaire

4. Complétez par un pronom relatif simple ou composé.

a. Les appels d'offres .... ils ont répondu ont été remportés par la concurrence.

b. La mairie .... l'entreprise a été contactée veut installer des aires de jeux dans les parcs.

c. L'agglomération .... s'est adressée notre entreprise a choisi notre projet.

d. Le groupe .... appartient Voltabo a remporté l'appel d'offres.

e. Le projet .... je t'ai parlé verra le jour en 2015.

f. L'entreprise .... nous avions répondu n'a pas donné suite à notre proposition.

g. Le projet .... est retenu permettra d'employer 600 agents.

Compréhension de l'écrit

5. Lisez le texte et répondez aux questions.

Grâce à de nouvelles règles de l'Union européenne, les autorités publiques vont avoir un plus large choix pour décider de la manière de dépenser au mieux l'argent des contribuables pour les travaux, les biens ou les services publics. Les autorités pourront accepter l'offre la moins chère, bien sûr, mais aussi l'offre la plus innovante. Choisir de construire un pont intelligemment plutôt que de choisir de construire un pont qui coûte moins cher pourrait éviter de le reconstruire cinq ans plus tard ! En effet, les accords conclus vont permettre aux autorités de ne pas choisir seulement en fonction du prix, mais aussi en tenant compte des avantages environnementaux et sociaux et même des idées innovantes. On va ainsi pouvoir, par exemple, décider de garantir la qualité des aliments dans une école ou dans un hôpital. On pourra aussi décider d'acheter à une entreprise qui emploie des personnes handicapées. Les nouvelles directives doivent également inclure des règles plus strictes concernant les offres « anormalement basses », afin de garantir le respect des lois du travail et des accords collectifs. Les députés ont aussi introduit une nouvelle procédure pour encourager des solutions innovantes.

D'après www.europarl.europa.eu

a. Les nouvelles règles de l'Union Européenne permettent aux autorités publiques de :

☐ dépenser comme elles le souhaitent l'argent des contribuables.

☐ choisir l'offre la moins chère même si elle n'est pas innovante.

☐ ne pas seulement regarder le prix des offres proposées.

b. Faut-il toujours choisir l'offre de construction de pont la moins chère ? Justifiez.

....

c. Quels critères seront pris en compte en plus du prix pour une réponse à un appel d'offres ?

....

d. Pourquoi les nouvelles directives impliquent des règles plus strictes pour les offres anormalement basses ?

....

e. Sur quel point porte la directive introduite pas les députés ?

....

Incollable sur les réglementations

Compréhension de l'oral 🎧

1. Écoutez l'interview et répondez.

a. Pourquoi Renault finance des projets locaux et internationaux ?

b. Que permettent les partenariats de Renault avec des associations ?

c. Citez un des projets menés par Renault.

d. Que fait Renault pour préserver l'environnement ?

e. Comment Renault encourage le covoiturage de ses salariés ?

Vocabulaire

2. Chassez l'intrus.

a. équitable – durable – provisoire – vivable
b. volontaire – motivé – compétitif – réfractaire
c. écologique – recyclable – dominical – jetable
d. insertion – exclusion – solidarité – partage

3. Complétez les définitions avec les mots proposés.

développement – préjudice – diffuse – environnementaux – biens – entreprises – sociaux – contribution

a. La RSE : c'est la .... des .... par rapport au .... durable.
b. Un observatoire est un organisme qui collecte et .... ces informations.
c. Un dommage : un .... porté à quelqu'un ou à ses ....
d. Le développement durable est une notion qui prend en compte les aspects .... et ....

Grammaire

4. a. Cochez la bonne réponse.

On forme le subjonctif présent à partir de :

☐ la 1re personne du singulier
☐ la 2e personne du pluriel   ☐ du présent de l'indicatif
☐ la 3e personne du pluriel   ☐ de l'imparfait de l'indicatif

b. Complétez le tableau suivant.

	Présent de l'indicatif 3e personne du pluriel	Subjonctif présent 1re personne du singulier	Subjonctif présent 2e personne du pluriel
Développer			
Finir			
Plaider			
Encourir			

5. Complétez les phrases suivantes librement.

a. Le développement durable est important pour que ....

....

b. Les entreprises donnent des avantages sociaux à leurs employés pour que ....

....

c. Les magasins ouvrent le dimanche pour que ....

....

d. Certains employés acceptent de travailler le dimanche pour que ....

....

e. Le commerce équitable existe pour que ....

....

Compréhension de l'écrit

6. Lisez le texte et répondez aux questions.

Les entreprises françaises et la RSE

En France, plus de la moitié des sociétés de 50 salariés ou plus déclarent s'impliquer dans la responsabilité sociétale des entreprises (RSE). Pourquoi les sociétés de 10 à 49 salariés sont-elles beaucoup moins impliquées dans la RSE que celles de taille supérieure (23 % contre 51 %) ? Par méconnaissance d'abord : seulement un tiers d'entre elles déclarent avoir entendu parler de la RSE. 24 % de ces petites entreprises déclarent avoir mis en place des politiques de lutte contre les discriminations (contre 74 % pour les sociétés de taille supérieure). 10 % ont pris des mesures pour l'emploi des seniors (contre 62 %). L'amélioration de l'efficacité énergétique les concerne aussi moins souvent (19 % contre 44 %).

Toutefois, leur comportement se rapproche de celui des sociétés d'au moins 50 salariés sur quelques actions précises. Sur le plan environnemental, 56 % des petites sociétés s'impliquent dans la gestion économe des ressources et dans le recyclage des déchets. Sur le plan social, une sur six dispose d'un plan de prévention des risques psychosociaux.

Le degré d'implication de ces petites sociétés dans la RSE dépend très fortement de l'investissement du dirigeant et de sa motivation. Pour les sociétés qui ont entendu parler de la RSE mais qui reconnaissent ne pas avoir mis en place des actions qui en relèvent, le manque de temps (pour 65 % des personnes interrogées) ou d'information et d'appui public (pour 42 %) sont les principaux freins.

D'après www.insee.fr

a. Quel pourcentage des entreprises de plus de 50 salariés s'implique dans la RSE ?

....

b. Dans quels secteurs l'investissement des petites entreprises dans la RSE est-il le plus important ?

....

c. Quelle action environnementale rapproche les petites entreprises des entreprises de plus de 50 salariés ?

....

d. Pourquoi les entreprises de 10 à 49 salariés sont moins impliquées dans la RSE ?

....

Production écrite

7. Votre entreprise est impliquée dans la RSE. Vous rédigez un texte pour expliquer les initiatives mises en place pour favoriser les aspects environnementaux et sociaux. (180 mots minimum)

....

....

■ Compréhension de l'oral

1. Écoutez l'enregistrement et répondez.

a. À qui téléphone la cliente ? Pourquoi ?

b. Depuis combien de temps la femme est cliente chez cet opérateur ?

c. Quelles sont les démarches entreprises par la cliente pour résilier son contrat ?

d. Que lui propose la personne qui lui répond ? Que décide la cliente ?

■ Vocabulaire

2. Choisissez le mot qui convient.

a. Les deux entreprises ont *fusionné* / *ciblé* l'année dernière.

b. La CNIL a *infligé* / *autorisé* une amende importante à une entreprise qui n'avait pas respecter la législation.

c. Le Tranquilien permet *la régulation* / *l'affluence* du trafic dans le transport ferroviaire.

d. Les usagers disposent d'un droit de *passation* / *rectification* de leurs données.

e. Le fichier informatique de l'entreprise doit respecter la *solvabilité* / *confidentialité* des clients.

3. Retrouvez 5 mots qui figurent dans les encadrés « Les mots pour » de la leçon. Associez les étiquettes pour former les 5 mots.

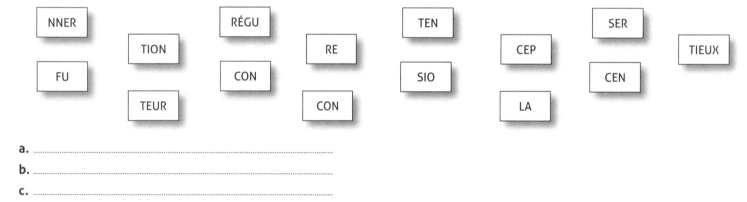

NNER   TION   RÉGU   RE   TEN   CEP   SER   TIEUX   FU   CON   SIO   CEN   TEUR   CON   LA

a. ....

b. ....

c. ....

d. ....

e. ....

■ Grammaire

4. Réécrivez la phrase en remplaçant les mots en gras par des pronoms.

a. Le Tranquilien permet **aux passagers** de savoir s'il y a **beaucoup de trafic**.

b. L'association a permis **au consommateur** de régler **son problème**.

c. L'ouverture des données a facilité **la tâche** à **ce concepteur**.

d. Donnons **aux usagers la possibilité de voyager**.

e. Aidez **les consommateurs** à régler **leurs problèmes**.

Compréhension de l'écrit

5. Lisez le texte et répondez aux questions.

Échange de fichiers : que dit la loi ?

L'échange de fichiers clients entre des entreprises ne peut pas être gratuit. Il doit obligatoirement faire l'objet d'une facturation. Par ailleurs, vous devez obtenir l'accord des personnes dont vous souhaitez communiquer les coordonnées auprès d'un tiers. « Une trace écrite de cet accord n'est pas indispensable, précise une juriste de la Commission nationale de l'informatique et des libertés (Cnil). L'accord du client peut être obtenu par téléphone ou par le commercial en visite. » La juriste rappelle toutefois l'obligation des entreprises à déclarer l'existence d'un fichier clients et prospects auprès de la Cnil (Commission nationale informatique et liberté) sous peine de sanction pénale, et cela même si l'entreprise ne souhaite pas échanger ou vendre son fichier clients.

D'après www.actionco.fr

a. Les entreprises ont-elles le droit d'échanger des fichiers ? Expliquez.

b. Quand les entreprises ont-elles besoin de l'accord des personnes dont les noms et les coordonnées figurent dans un fichier ?

c. L'entreprise a-t-elle besoin d'un accord écrit pour utiliser les coordonnées d'une personne inscrite dans son fichier ? Expliquez.

d. Quand les entreprises doivent-elles déclarer leur fichier à la Commission nationale informatique et liberté (Cnil) ?

Phonétique

6. Écoutez et dites si vous entendez /Ẽ/, /En/ ou /yn/.

	/Ẽ/	/En/	/yn/
a. C'est la norme américaine.	☐	☐	☐
b. Le droit européen en vigueur.	☐	☐	☐
c. Aucune alternative ne lui convient.	☐	☐	☐
d. Les entrepôts parisiens sont fermés.	☐	☐	☐

1 **Complétez avec le pronom relatif qui convient.** ..... /4

dont – pour lesquels – à laquelle – auxquelles

a. L'association de consommateurs .... il s'est adressé a résolu son problème.

b. Les consommateurs .... l'association s'est battue sont satisfaits du résultat.

c. Les salariées .... ils ont parlé ont toutes répondu qu'elles étaient favorables aux nouvelles mesures.

d. Les rectifications .... ils ont parlé en réunion ont finalement été apportées.

2 **Mettez le verbe au subjonctif.** ..... /4

a. La CNIL surveille les entreprises pour qu'il n'y .... (*avoir*) pas d'abus lors de la transmission de données personnelles.

b. Pour qu'ils .... (*choisir*) le meilleur projet, ils doivent d'abord bien étudier les dossiers.

c. L'entreprise doit communiquer, pour que le public .... (*se rendre*) compte de ses efforts pour le développement durable.

d. Les magasins ouvrent le dimanche pour que ceux qui travaillent en semaine .... (*pouvoir*) y aller le week-end.

3 **Récrivez les phrases en remplaçant les mots en gras par des pronoms.** ..... /4

a. Expliquez **à vos salariés la RSE**.

....

b. Nous avons présenté **notre proposition à cette entreprise** en réponse à son appel d'offres.

....

c. Nous avons parlé **aux consommateurs de leurs droits**.

....

d. Donnez **les noms des entreprises à Pascal** pour qu'il les inscrive **dans le fichier**.

....

4 **Choisissez la bonne réponse.** ..... /4

a. Un conflit entre deux parties, c'est ...

☐ un contentieux. ☐ un ciblage.
☐ un banc d'essai.

b. Une structure organisée pour défendre ou représenter les intérêts d'un groupe, c'est ...

☐ une jurisprudence. ☐ un lobby.
☐ un comparateur.

c. On appelle la mise à disposition des données numériques...

☐ le vecteur d'innovation. ☐ l'open data.
☐ la régulation.

d. Un usage excessif d'un droit est ...

☐ une pratique répressive.
☐ une pratique confidentielle.
☐ une pratique abusive.

5 **Lisez ce mail et dites si les phrases sont vraies ou fausses.** ..... /4

Supprimer	Indésirable	Répondre	Rép. à tous	Réexpédier	Imprimer

De : M. Bergerot
À : S. Vietti
Cc :
Objet : Réclamation

Chère Madame Vietti,

Nous avons bien reçu votre message. Nous tenons à vous informer que les pratiques de votre opérateur téléphonique sont interdites. Nous avons déjà recensé plusieurs cas identiques au vôtre. Votre témoignage va nous permettre d'alerter les usagers. Et nous allons lancer une procédure contre cet opérateur.

Nous vous remercions pour votre collaboration.

Cordialement.

M. Bergerot

	Vrai	Faux
a. Le cas de Madame Vietti est unique.	☐	☐
b. Monsieur Bergerot ne peut rien faire pour aider Madame Vietti.	☐	☐
c. Les pratiques de l'opérateur téléphonique sont tout à fait légales.	☐	☐
d. Le témoignage de Madame Vietti peut servir à mettre en garde d'autres usagers.	☐	☐

UNITÉ 9

Vive la crise !

LEÇON 1

- Par rapport à
- Le résultat d'exploitation
- Le bénéfice par action (BPA)
- La fierté
- Le leader
- Contrasté(e)
- Porter ses fruits
- Un équilibre
- Une tendance
- Maintenir la rentabilité
- Afficher une croissance positive

- L'actif immobilisé / réalisable / disponible
- Le passif / L'actif
- Les capitaux propres

- Une provision
- Un risque
- Une charge
- Une dette
- Un total / Des totaux
- Un document comptable
- L'actif circulant
- Fluctuant(e)
- Les créances clients
- La trésorerie
- Financer
- Le capital social
- Les organismes sociaux
- Être équilibré(e)

- Le compte de résultat (CR)
- Un produit d'exploitation
- Une charge d'exploitation
- Une quote-part
- Net / Brut
- Un état financier
- Un flux
- Le patrimoine
- Un produit fini
- Une matière première
- Une charge patronale
- Un intérêt perçu
- Un intérêt sur emprunt
- Une plus-value
- Une cession

LEÇON 2

- Un excédent / Être en excédent
- Un déficit
- Exporter / Une exportation
- Importer / Une importation
- Persistant(e)
- Compenser
- Un déséquilibre structurel
- Un pays créditeur
- Un pays débiteur
- Les ménages
- Un taux d'intérêt
- Une institution financière
- Un mécanisme
- Emprunter / Un emprunt
- Recouvrir
- Un(e) épargnant(e)

- La panique
- Coupable / Un(e) coupable
- Une aptitude
- Sortir gagnant
- Affronter
- Rebondir
- L'optimisme

- Le bout du tunnel
- Saisir une opportunité
- Un territoire
- Clarifier
- Contre-productif / Contre-productive
- La lucidité

- Un krach
- Un prêt immobilier
- Accorder
- Évaluer
- Un placement
- Une opération spéculative
- Surévaluer
- Dégringoler
- Le cash
- La zone euro
- Le circuit monétaire
- Une injection de liquidités
- Un effet de levier
- L'éclatement de la bulle
- La crise des *subprimes*
- Une agence de notation

LEÇON 3

- Le luxe
- Un clignotant
- La prospérité
- La morosité
- Une marge
- Robuste
- Sans encombre
- Un marché porteur
- Un marché de niche / Une niche
- Rapporter de l'argent
- Une mine d'or
- Optimiser
- Un domaine peu exploité
- Être en pleine expansion

- L'émergence
- Étroit(e)

- Être en fin de droits
- Se lancer
- Le boulot
- Lancer un site
- Prendre sur ses économies
- Référencer un site
- Un site pratique
- Cumuler des petits boulots
- Mettre du beurre dans les épinards
- Rapporter de l'argent

Vive la crise !

Compréhension de l'oral 🎧

1. Écoutez l'enregistrement et répondez aux questions.

a. Quel est l'indicateur le plus important pour une entreprise ?

....

b. Quelles informations donne le chiffre d'affaires ?

....

c. Avec quelle fréquence faut-il faire des bilans ? Pourquoi ?

....

Vocabulaire

2. Complétez le tableau avec un nom ou un verbe.

Nom	Verbe
Un équilibre	....
....	Maintenir
Un bénéfice	....
....	Financer
Un risque	....
....	Rentabiliser

3. Associez chaque terme à sa définition.

a. Le bénéfice par action (BPA) •

b. Le compte de résultat •

c. L'actif circulant •

d. L'actif immobilisé •

e. Le capital social •

• **1.** Il désigne tout ce qui est nécessaire à l'exploitation, par opposition à l'actif circulant ; il est composé d'actifs à long terme.

• **2.** Il représente les biens mobiliers ayant pour vocation de générer de l'argent comptant pour l'entreprise.

• **3.** C'est le bénéfice total net d'une entreprise divisé par le nombre d'actions.

• **4.** Il désigne toutes les ressources en espèces ou en nature apportées à une société anonyme par ses actionnaires au moment de sa création.

• **5.** C'est le document qui reflète l'évolution du patrimoine d'une entreprise pendant une période donnée.

Grammaire

4. Terminez ces phrases en mettant le verbe au temps qui convient.

a. L'expert comptable a nié que les résultats .... (*être*) meilleurs que le trimestre passé.

b. Le directeur des ventes a affirmé que, l'année prochaine, les Allemands .... (*réduire*) leurs commandes de matériel.

c. Sophie m'a demandé si j'... (*assister*) au séminaire sur les nouvelles technologies.

d. Monsieur Ulrich a assuré que leur groupe .... (*être*) le leader actuel dans le secteur des télécommunications.

e. Un assistant a demandé si nous .... (*aller*) diffuser les résultats de ce semestre.

5. Choisissez la forme correcte.

a. Le directeur nous a assuré que l'exercice 2014 *serait / est* meilleur que le précédent.

b. Sylvie a affirmé que les bénéfices *diminuaient / diminueraient*.

c. Il avait promis qu'il nous *remettrait / remettra* son rapport cette semaine.

d. Il nous a demandé quand nous *aurions fini / avions fini*.

e. Je me demande si mes calculs *sont bons / seraient bons*.

Compréhension de l'écrit

6. Lisez l'article et répondez aux questions.

Miel mutuelle se rapproche du groupe Apicil

L'accord entre le groupe lyonnais Apicil et la mutuelle Miel doit permettre à celle-ci de consolider son développement, de renforcer sa solidité financière et d'élargir son offre de produits.

Depuis septembre 2012, Miel mutuelle cherchait activement un partenaire. Finalement, le 15 avril 2014, la mutuelle a choisi un rapprochement stratégique avec le groupe lyonnais Apicil, leader de la protection sociale en Rhône-Alpes.

« Cet accord va permettre à Miel mutuelle de consolider son développement rapide intervenu au cours des dernières années, de renforcer sa solidité financière, et d'élargir l'offre de produits et de conforter la qualité du service apportée à ses clients et sociétaires », indique son président, Gérard Servel. Cet été, ce dernier avait souligné le fait que l'entreprise n'avait plus « la taille critique pour travailler seule ».

Sur le plan financier, l'ambition de la direction de Miel mutuelle est de retrouver l'équilibre. Rappelons que sur l'exercice 2012, la mutuelle stéphanoise avait enregistré 4,5 millions d'euros de pertes. Son directeur concentre ses efforts sur la diminution des charges et sur l'équilibre technique. Ce qui devrait permettre à l'entreprise de présenter des résultats 2013 « bien meilleurs » selon Gérard Servel. Le président de Miel mutuelle table sur un retour aux bénéfices en 2014.

D'après www.latribune.fr, 2 mai 2014.

a. Avec qui la mutuelle Miel a-t-elle conclu un accord ?

....

b. Que va permettre ce changement à la mutuelle Miel ?

....

c. Qu'a signalé le président de Miel pendant l'été ?

....

d. Comment ont été les résultats de Miel en 2012 ?

....

e. Que prévoit-on, en termes de résultats, pour 2014 ?

....

f. Cochez les phrases exactes.

☐ Miel mutuelle est un groupe lyonnais.

☐ Le groupe Apicil est leader dans son domaine.

☐ Les résultats de Miel mutuelle sont meilleurs en 2012 qu'en 2013.

☐ Le rapprochement entre les deux groupes est un choix stratégique.

Compréhension de l'oral 🎧

1. Écoutez l'interview puis répondez aux questions.

a. Quel est le sujet abordé dans cette interview ?

....

b. Quel est le rôle d'une agence de notation ?

....

c. Quelles notes les agences de notation peuvent-elles attribuer ?

....

d. Sur quoi les experts s'appuient-ils pour attribuer les notes ?

....

e. Citez le nom de deux agences de notation.

....

Vocabulaire

2. Complétez cet article avec les mots suivants.

publique – revenus – pauvres – remboursements – dette – endettés – emprunter

Du Malawi à la Suisse en passant par le Canada et la Tunisie, presque tous les pays, riches ou ...., sont lourdement .... La France figurait, il y a quelques années, en 31ᵉ position avec une .... de plus de 1 000 milliards d'euros. Pour autant, l'endettement massif de tous ces pays n'est pas si dramatique. En effet, contrairement à un individu, l'État a une durée de vie infinie. Il peut ainsi continuer à .... pour financer sa dette et les .... de ses intérêts.

Si la dette .... reste stable en pourcentage du PIB, la situation est à peu près tenable, mais si elle augmente, c'est plus préoccupant. Surtout que pendant ce temps, les .... n'augmentent pas.

D'après www.linternaute.com

3. Complétez les phrases avec le mot qui convient.

a. Avec l'éclatement de la bulle immobilière, les prix des logements ont ...
☐ freiné.   ☐ rebondi.   ☐ dégringolé.   ☐ surévalué.

b. Avec la crise, la confiance dans l'Union européenne et dans les gouvernements s'est ...
☐ endettée.   ☐ affaiblie.   ☐ éclatée.   ☐ affrontée.

c. Ces dernières années, certains ménages se sont fortement ...
☐ affaiblis.   ☐ diminués.   ☐ endettés.   ☐ freinés.

d. Le surendettement des ménages freine la ...
☐ crise.   ☐ croissance.   ☐ bulle.   ☐ déflation.

e. L'Europe a réussi à surmonter la ... la plus grave depuis la Seconde Guerre mondiale.
☐ croissance   ☐ déflation   ☐ diminution   ☐ crise

4. Choisissez le terme qui convient.

a. Les ménages français sont de plus en plus *endettés / empruntés*.

b. Trop de *prêts / d'intérêts* immobiliers ont été accordés aux ménages.

c. L'éclatement de la *crise / bulle* immobilière a plongé l'économie espagnole dans la récession.

d. Ces années de crise ont laissé des marques : la première est *le chômage / la spéculation*.

e. La crise *du logement / des liquidités* s'est accentuée dans notre ville.

Grammaire

5. Mettez les phrases suivantes au passif.

a. Ce mois-ci, on ouvre de nouvelles usines en Europe, malgré la crise.

....

b. Christine a employé ses économies dans la création d'une TPE.

....

c. À cause de la situation difficile que nous traversons, on a supprimé plusieurs postes.

....

d. Nous avons recruté des talents pour relancer notre activité commerciale.

....

e. Les banques ont accordé des prêts à de nombreuses familles.

....

f. On a fermé des commerces très anciens dans notre ville.

....

6. Mettez ces phrases à la forme active.

a. Des enquêtes ont été menées auprès de clients potentiels pour étudier ce produit.

....

b. De nouveaux équipements ont été achetés pour remplacer les anciens.

....

c. Tout mon service a été convoqué à une réunion urgente.

....

d. Quelques ordinateurs ont été abîmés par la panne électrique.

....

e. Un nouveau projet destiné à combler les pertes occasionnées par la chute des ventes a été lancé.

....

Compréhension de l'écrit

7. Lisez cet article et répondez aux questions.

La question de la restructuration des dettes pour les pays du sud est une question hautement d'actualité pour en finir avec la crise de la dette. En effet, contrairement à ce que l'on pourrait penser, la crise de la dette est loin d'être terminée. Le Portugal doit mettre un terme à sa dépendance vis-à-vis de certains pays. Le Portugal a fait des progrès, mais la situation reste fragile. Seules les restructurations de dette constituent une solution envisageable à long terme. Mais alors, comment faire accepter à plus grande échelle une mesure comme celle-ci pour qu'elle soit compatible avec la nécessité de ne pas perdre des investissements ?

D'après www.journaldunet.com, 28 avril 2014.

a. Quel est le sujet de cet article ?

....

b. D'après l'article, quand va se terminer la crise de la dette ?

....

c. Quelle est la situation actuelle du Portugal ?

....

d. Quelle est la solution au problème, à long terme ?

....

Vive la crise !

Compréhension de l'oral

1. Écoutez l'enregistrement puis répondez aux questions.

a. Quel est, d'après l'article, un des effets de la crise ?

....

b. Pourquoi les pizzas sont-elles maintenant plus petites en France ?

....

c. Quelle a été l'idée de la municipalité de Mulhouse pour faire des économies ? A-t-elle obtenu les résultats attendus ?

....

d. D'après certains, pourquoi les femmes mettraient-elles plus de rouge à lèvre en temps de crise ?

....

Vocabulaire

2. Complétez les phrases avec les mots proposés.

porteur – niche – rapporter – exploité – expansion – émergence

a. Pour réussir dans la création d'une entreprise, il faut chercher un domaine encore peu ....

b. Avec la crise, le secteur des alarmes et la protection personnelle est en pleine ....

c. Quel est l'avenir de la presse papier face à l'............................... des journaux électroniques ?

d. Les crédits aux séniors : c'est un marché de .... qui est en développement.

e. La vente de nos produits sur Internet pourrait .... beaucoup.

f. La restauration rapide évolue encore dans un marché .... : plus de 11 000 entrepreneurs tentent leur chance chaque année.

3. Choisissez la bonne réponse.

Quand j'ai décidé *d'exploiter / de me lancer* dans la création de ma propre entreprise, j'étais un chômeur en fin de *droits / boulot*, et j'avais cumulé un tas de petits boulots. J'ai alors décidé de tenter ma chance : j'ai *optimisé / monté* une petite entreprise de cosmétiques biologiques et éthiques pour hommes. Au début, c'était difficile. Je n'ai pas bénéficié de *financement / cash*. J'ai donc dû prendre sur mes *économies / dettes*. Après, mon conseiller Pôle emploi m'a mis en contact avec un organisme qui m'a accordé un *taux d'intérêt / prêt* de 2 000 euros à taux zéro. Je touchais encore les allocations chômage. J'ai donc pu me concentrer sur le *déséquilibre / lancement* de mon entreprise. Grâce à mes connaissances en informatique, j'ai crée un *site / mécanisme* très accrocheur ; il reçoit chaque jour de nombreuses visites. Pour l'instant, mon entreprise ne *compense / rapporte* pas beaucoup d'argent, mais l'année prochaine, les ventes devraient décoller !

Grammaire

4. Répondez en utilisant *en* ou *y*.

a. Vous avez recruté beaucoup de personnes pour votre nouvelle entreprise ?

....

b. Vous avez eu des financements intéressants ?

....

c. Avez-vous pensé à vous associer avec d'autres jeunes créateurs ?

....

d. Auparavant, vous aviez travaillé longtemps chez Sony, n'est-ce pas ?

....

e. Gagnez-vous beaucoup d'argent avec cette entreprise ?

....

5. Complétez avec *en* ou *y*.

a. Je n'ai pas eu le temps de voir le nombre de visites sur notre site ; c'est Marie qui s'.............. est chargé.

b. Je crois que tous nos partenaires se sont inscrits à la fête d'inauguration. Oui, ils s'.............. sont tous inscrits.

c. Je ne lui ai pas encore parlé de notre nouveau projet. Tu peux lui .... parler à votre réunion ?

d. Nous avons ouvert une boutique dans notre région, et nous .... avons ouvert une autre en Normandie.

e. Je n'avais pas pensé à inclure ces frais dans mes comptes mensuels ; j'.............. penserai le mois prochain.

▮ Compréhension de l'écrit

6. Lisez l'article et répondez aux questions.

Le chocolat, un marché toujours porteur

Jugé indispensable par les Français, le chocolat est consommé sous toutes ses formes et tous les jours par près d'un tiers des Français (31,33 %), tandis qu'un autre gros tiers (37,31 %) déclare en manger seulement plusieurs fois par semaine. Le chocolat rend davantage accroc les femmes (32,56 %) que les hommes (30,01 %). « Le chocolat reste l'un des aliments préférés des consommateurs, seulement 2,2 % n'aiment pas le chocolat. », explique Philippe Guilbert, directeur général de Toluna Quick Survey. « *Il rejoint même le pain et les pâtes comme aliment de base dont les moins de 35 ans auraient le plus de mal à se priver.* »

85 % des ventes de chocolat sont réalisées en supermarché, cependant les boutiques spécialisées restent des valeurs sûres, notamment aux deux moments phares de l'année, Noël et Pâques. Le budget pour Pâques devrait s'élever à moins de 25 euros pour 35,91 % des Français et entre 25 et 50 euros pour 32,84 % d'entre eux.

D'après www.toute-la-franchise.com, 10 avril 2014.

a. Combien de Français consomment du chocolat tous les jours ?

....

b. Qui sont ceux qui aiment le plus le chocolat ? Quel pourcentage n'aime pas le chocolat ?

....

c. Combien vont dépenser les Français en chocolat pour Pâques ?

....

....

d. Où se vend principalement le chocolat ?

....

▮ Phonétique 🎧

7. Écoutez, soulignez le son [R], puis répétez.

a. Les chiffres ont baissé par rapport au premier trimestre.

b. C'est le compte de résultat pour l'année deux mille treize.

c. Sur cette ligne, il y a les charges et les capitaux propres.

d. La crise a profondément bouleversé l'économie de notre continent.

1 Choisissez la bonne réponse
..... /4

a. Les banques accordent de moins en moins de *prêts / placements* immobiliers.

b. La Banque centrale européenne doit veiller à la *croissance / stabilité* des prix dans la zone euro.

c. Nous avons *accordé / investi* une grosse somme d'argent pour moderniser les installations de notre entreprise.

d. Nous voudrions savoir quels sont les meilleurs *placements / intérêts* pour faire prospérer notre épargne.

2 Associez le terme et la définition.
..... /2

a. Le salaire • • **1.** La somme payée aux banques en échange de l'argent prêté.

b. L'intérêt • • **2.** Les ressources que possède une entreprise.

c. L'actif • • **3.** Le document comptable qui présente les produits et les charges d'une société sur une période donnée.

d. Le compte de résultat • • **4.** Le paiement à un salarié pour un travail fourni.

3 Qui fait quoi ? Retrouvez la fonction de chacun.
..... /2

a. Une banque... • • **1.** attribue des notes aux entreprises et aux États.

b. Une agence de notation... • • **2.** surveille les marchés financiers.

c. Une entreprise... • • **3.** produit des biens ou des services pour obtenir des bénéfices.

d. L'État... • • **4.** accorde des prêts aux entreprises et aux particuliers.

4 Terminez les phrases en utilisant les pronoms *en* ou *y*.
..... /4

a. Nous n'avons pas demandé d'aide pour ouvrir notre entreprise, et toi, tu .... ?

b. Vous voulez créer un site web ? Je connais quelqu'un qui ....

c. Tu as pensé à notre réunion de demain ? Parce que moi, je n'ai pas arrêté ....

d. Tu vas assister au séminaire sur les jeunes créateurs ? Moi aussi, je ....

5 Conjuguez les verbes aux temps qui conviennent.
..... /4

a. Le directeur a affirmé que les ventes .... (*augmenter*) l'année prochaine.

b. Nous avons demandé si ce taux d'intérêt .... (*être*) intéressant.

c. Il a assuré que cette décision .... (*être*) la bonne.

d. Nous nous demandons pourquoi nous ne .... (*pouvoir*) pas voir les résultats de cet exercice.

6 Lisez l'article et dites si les phrases sont vraies ou fausses.
..... /4

La crise a sévèrement frappé l'industrie manufacturière depuis 2008 en France et dans la zone euro. Seule l'industrie allemande est parvenue à retrouver son niveau d'avant-crise, notamment grâce à l'automobile. C'est ce que révèle une étude de l'Insee publiée ce 11 juin. La dégradation s'est surtout produite entre avril 2008 et avril 2009. Pendant cette période, la production a baissé de 22 %, soit en moyenne -1,8 % par mois.

En France, c'est surtout l'automobile qui tire l'ensemble vers le bas. Entre 2007 et 2013, les volumes de l'industrie automobile française ont baissé de plus d'un tiers (35 %). Cette chute contraste avec la croissance de 16 % affichée par l'industrie aéronautique et spatiale pendant la même période. Si la production manufacturière s'est stabilisée en France l'an dernier, elle n'a pas retrouvé pour autant son niveau d'avant-crise. En Europe, seule l'industrie manufacturière allemande a retrouvé ses volumes d'avant-crise. Plus touchée que la France entre avril 2008 et avril 2009, l'Allemagne s'est néanmoins redressée plus rapidement, grâce à l'automobile.

Avant la crise, production de l'industrie automobile allemande « était moins bien orientée que celle de la France (et de la zone euro) », a rappelé l'Insee. Son évolution globale est désormais très supérieure à celle de la France et explique la bonne tenue de cette industrie dans la zone euro.

D'après www.largus.fr, 11 juin 2014.

	Vrai	Faux
a. La période 2008-2009 a été la moins mauvaise pour l'industrie manufacturière.	☐	☐
b. En France, l'industrie automobile a chuté entre 2007 et 2013.	☐	☐
c. L'industrie automobile est encore en crise en Allemagne aujourd'hui.	☐	☐
d. Entre 2007 et 2013, l'industrie aéronautique a connu une croissance.	☐	☐

Je crée mon entreprise

🎧 LEÇON 1

- Un bilan de compétences
- Une carrière
- Être favorable
- Être motivé(e)
- S'investir
- Une restructuration
- Des opportunités d'évolution
- Un changement
- Réaliste
- Réalisable
- Un cabinet de conseil
- Formaliser une demande
- Enclencher un processus

- Porter un regard critique
- Une évaluation
- Une expertise
- Une aide à la décision
- Tourner en rond
- Être déstabilisé(e)
- Être perçu(e)
- Se prendre en charge
- Un miracle
- S'investir
- Un doute
- Une session
- S'avérer

- Nuisible
- Salutaire
- Une validation des acquis de l'expérience (VAE)
- S'accumuler

- Une toile d'araignée
- Épineux / Épineuse
- Un domaine d'intérêt / de compétence
- La culture numérique
- Interpersonnel(le)

🎧 LEÇON 2

- Un parcours
- Un doctorat
- Le génie chimique
- Une thèse
- L'esprit d'initiative
- Adopter une stratégie
- Abandonner
- Décrocher un contrat
- Stabiliser
- Un incubateur

- Un business plan
- Un talent
- Le tout-connecté
- Le big data
- Une application mobile
- Un contrat de licence
- L'avant-garde
- Le secteur de l'audiovisuel
- La gamification
- Un partenariat

🎧 LEÇON 3

- Artisanal(e) ≠ Professionnel(le)
- Un fondateur / Une fondatrice
- La compatibilité
- La culture d'entreprise
- Un contributeur
- Un ressort de motivation
- La maturité
- Être confronté(e) à des préjugés
- Tenace
- La crédibilité
- Se faire voler la vedette
- Imposer / Affirmer son autorité

- Le charisme
- La détermination
- Être déboussolé(e)
- Le sexe faible
- Une plaisanterie de potache
- Jouer cartes sur table
- Un(e) récalcitrant(e)
- Accaparant(e)

- Le speedmeeting
- Spécifique
- Potentiellement
- Ciblé(e)
- Restreint(e)
- Une bourse à l'emploi

Compréhension de l'oral 🎧

1. Écoutez les témoignages et répondez.

a. Qu'est-ce qui a été le plus intéressant pour la première personne qui témoigne ? Quel était son objectif ?

....

b. Pour le deuxième intervenant, qu'est-ce qui a été positif ?

....

c. Qu'est-ce qui a manqué au troisième intervenant ?

....

d. Qu'est-ce qu'a révélé le bilan de compétences à la quatrième personne ? Quel changement s'est produit dans sa carrière ?

....

Vocabulaire

2. Complétez le dialogue avec les mots proposés.

déstabilisé – compétences – changement – tourner en rond – salutaire – regard critique – pris en charge – cabinet de conseil

– J'ai bien envie de faire un bilan de .... Je ne sais pas si cela va m'être vraiment utile. Pour l'instant, je n'envisage pas un .... de branche, mais je commence un peu à .... à mon poste.

– Moi aussi j'avais besoin d'aide : j'étais .... Grâce à mon bilan de compétences, j'ai pris conscience de mes capacités. Et je me suis alors .... J'envisageais de me tourner vers un autre domaine, mais les résultats de mon bilan m'en ont dissuadé. Mon bilan de compétences m'a été ....

– Tu t'es adressé à qui pour ton bilan ?

– Il faut bien choisir le .... qui va prendre en charge ton dossier. Et si tu es à l'aise, ton conseiller t'aidera à porter un .... sur ta situation professionnelle.

3. Retrouvez les noms ou les verbes.

Verbe	Nom
S'investir	....
....	Une évolution
Évaluer	....
Expertiser	....
....	Une motivation
....	Une aide
Décider	....

Grammaire

4. Complétez avec les articulateurs proposés.

toutefois – c'est pourquoi – notamment – d'une part ... d'autre part – au contraire

a. Lors de mon bilan de compétences, j'ai découvert .... des aptitudes que je ne pensais pas avoir et .... j'ai découvert que je n'étais pas fait pour le poste que j'occupe actuellement.

b. On m'a parlé à plusieurs reprises des bénéfices du bilan de compétences. ...., je reste sceptique quant à son utilité.

c. Je commence à ne plus me sentir à l'aise dans le poste que j'occupe actuellement. .... j'envisage de me réorienter vers un autre secteur d'activité.

d. Je croyais que l'on allait m'aider pour les démarches de mon bilan de compétences, ... en ce qui concerne les démarches administrative ; et .... je n'ai rencontré que des obstacles.

5. Choisissez l'articulateur qui convient.

a. J'ai détecté des manques, *en particulier / par ailleurs* en ce qui concerne ma formation.

b. J'ai mis au clair beaucoup de choses, et j'ai découvert que je peux postuler à un poste avec davantage de responsabilités. *Cependant / En résumé*, mon bilan de compétences s'est avéré très positif.

c. L'expérience a été positive dans l'ensemble. *Au contraire / En revanche*, j'aurais aimé que l'on me conseille un peu plus sur mes possibilités de promotion dans l'entreprise.

d. Faire son bilan de compétences est à la portée de tout le monde, *d'ailleurs / encore* faut-il en avoir envie.

Compréhension de l'écrit

6. Lisez cet article et répondez aux questions.

L'entreprise qui crée le plus d'emplois en France n'est pas une grande société du CAC40, mais O2, ex start-up française basée au Mans, spécialisée dans les services à la personne. En pleine crise, entre 2008 et 2013, elle a créé 6 100 emplois, selon l'Institut Xerfi qui a publié hier ce palmarès. Particularité d'O2 : l'entreprise embauche beaucoup via des *job dating*, une méthode de recrutement express qui fait de plus en plus d'adeptes.

Dans les services à la personne, on recrute à tour de bras. Pour la rentrée, O2 s'apprête à embaucher... pas moins de 3 000 personnes, dont 2 000 gardes d'enfants. Avec ses 6 100 emplois créés depuis cinq ans, O2 se situe devant EDF et Airbus, selon l'étude du cabinet Xerfi.

L'une des méthodes de recrutement de cette jeune société 100 % française : les *job dating*. Plusieurs mardis matins par an, et notamment mardi prochain, les 160 agences du groupe ouvrent leurs portes à qui veut bien les pousser. Et l'entreprise prend des stands dans tous les grands forums d'emplois, comme « Paris pour l'emploi », qui se tient tous les automnes dans la capitale. Selon Jean-François Auclair, le DRH, l'entreprise peut recueillir 500 à 600 CV en un seul forum.

Et sur tous ces contacts, qui sont pris au cours de ces sept à huit minutes d'entretiens express, un recruteur peut en garder un peu plus d'un sur dix. Pour faire partie de ceux-là, il suffit souvent de ne pas venir en touriste, une « posture » que le DRH, grand habitué des salons de recrutement, observe très souvent.

D'après www.franceinfo.fr

a. Qu'a fait l'entreprise O2 entre 2008 et 2013 ?

....

b. Quelle est la particularité du mode de recrutement de l'entreprise O2 ?

....

c. Quelles sont les prévisions de recrutement de l'entreprise ?

....

d. Comment se situe l'entreprise O2 par rapport aux géants EDF et Airbus ?

....

e. Comment se déroulent les séances de *job dating* ?

....

f. Qu'est-ce qui a lieu chaque automne à Paris ?

....

g. Comment faire partie des 10 % de personnes recrutées lors des *job dating* ?

....

Compréhension de l'oral 🎧

1. Écoutez l'enregistrement et répondez.

a. En une phrase, expliquez ce qu'est la « cashmob ».

....

b. Où et quand est née cette idée ? Qui est à l'origine de cette initiative ?

....

c. En quoi consistait la première « cashmob » ?

....

d. Au Canada, l'expérience a-t-elle fonctionné ? Expliquez.

....

Vocabulaire

2. Complétez le texte avec les mots suivants. Accordez quand c'est nécessaire.

talent – projet – catégorie – création – innovante – incubateur – récompenser

Les Grands Prix de l'Innovation de la Ville de Paris ont pour vocation de soutenir et d'encourager la création d'entreprises
.... dans des secteurs en forte croissance. Ces prix .... également des entreprises qui,
grâce à leur innovation et à leur ...., vont permettre d'améliorer la vie des Parisiens et de développer
l'économie de la capitale. Comme chaque année, un lauréat sera élu pour chacune des cinq .... :
numérique, design, santé, éco-innovations et services innovants. Les cinq lauréats reçoivent un chèque de 15 000 €.
On leur offre également une place dans un .... ou une pépinière de la Ville de Paris. La réception en
l'honneur des lauréats rassemble d'importantes personnalités de la communauté scientifique ainsi que les principaux
acteurs de la .... d'entreprise. Il s'agit pour les lauréats d'une excellente occasion de développer
la notoriété de leur ....

3. Associez les mots et les définitions.

a. Une gamification •

b. Le big data •

c. Les réseaux sociaux •

d. Une application mobile •

• **1.** Logiciel conçu pour pour des appareils électroniques mobiles (smartphones, tablettes...).

• **2.** Application des techniques du jeu à d'autres domaines non ludiques, par exemple pour résoudre des problèmes de la vie quotidienne.

• **3.** Ensemble de données tellement volumineux qu'on ne peut pas le traiter avec des outils de gestion traditionnels.

• **4.** Sites internet qui réunissent des personnes, des entreprises, des organisations...

Grammaire

4. Conjuguez les verbes aux temps qui conviennent.

a. Je suis content que tu .... (*être choisi*) pour ce projet.

b. Pierre est étonné que son application .... (*être compatible*) avec cette version d'Android.

c. Nous sommes désolés que votre entreprise .... (*ne pas avoir*) de succès.

d. Nous espérons que tous nos investissements .... (*porter*) leurs fruits.

5. Transformez les phrases comme dans l'exemple.

• *Je suis heureux de participer à ce projet. (Sophie)*

→ *Je suis heureux que Sophie participe à ce projet.*

a. Je suis désolé de devoir quitter votre entreprise. (vous)

→ ....

b. J'ai peur de commettre une erreur. (nous)

→ ....

c. Ce programme, je préfère le lancer moi-même. (vous)

→ ....

d. Je suis content d'avoir participé à ce séminaire. (ils)

→ ....

Compréhension de l'écrit

6. Lisez cet article et répondez aux questions.

Pépinière numérique à Paris

À Paris sur la rive gauche de la Seine, près de la gare d'Austerlitz, l'immense halle Freyssinet (310 mètres de longueur sur 72 de largeur), reste ferroviaire des années 20, se métamorphose. L'objectif de cette modification sera d'accueillir, en 2017, un gigantesque incubateur numérique capable d'héberger pas moins de 1 000 start-up sur 33 000 mètres carrés ! Dans le prolongement d'un vaste parvis minéral, un centre d'accueil et de rencontres offrira des salles de réunion et un auditorium. Le cœur de la halle sera réservé à l'activité des start-up. La nef centrale abritera des espaces de convivialité, tandis que les nefs latérales accueilleront des bureaux et des salles d'archives. Un restaurant de 4 000 mètres carrés fonctionnera jour et nuit.

D'après www.lepoint.fr, 8, mai, 2014.

a. Où se trouve la halle Freyssinet ? À quoi servait-elle avant ?

....

b. A quoi servira cette installation en 2017 ?

....

c. Quels seront les différents espaces qui composeront la future halle ?

....

Je crée mon entreprise

Compréhension de l'oral 🎧

1. Écoutez l'enregistrement et répondez.

a. Quelle profession exerçait Yaël avant de créer son entreprise ?

....

b. Comment Yaël et son associé se partagent les tâches ?

....

c. Quelle est la passion de Yaël ?

....

d. Pourquoi TF1 contacte Yaël ?

....

Vocabulaire

2. Complétez avec les mots proposés.

faible – préjugés – crédibilité – charisme – affirmer

a. Appeler les femmes « le sexe .... » est souvent considéré comme une diffamation.

b. On trouve souvent des femmes ayant du .... parmi les entrepreneures.

c. Les femmes chefs d'entreprise ont parfois du mal à susciter la ....

d. En tant que femme, j'ai dû .... mon autorité auprès de mes collaborateurs masculins.

e. Une femme chef d'entreprise est parfois victime de .... négatifs de la part de ses employés.

3. Retrouvez les noms ou les adjectifs féminins.

Nom	Adjectif féminin	Nom	Adjectif féminin
La ténacité	....	Le charisme	....
L'autorité	....	....	Restreinte
....	Crédible	La conviction	....
La détermination	....	L'artisanat	....

Grammaire

4. Transformez les phrases en utilisant *sans*.

a. Il a été recruté tout de suite et n'avait aucun diplôme.

....

b. Elle a monté son commerce et n'a reçu aucune aide financière.

....

c. Elle a réussi à imposer son autorité et n'a pas eu à prendre des mesures difficiles.

....

d. Ils nous ont accordé un prêt et ne nous ont demandé aucune garantie.

....

e. Nous avons organisé un *speedmeeting* et nous ne savons pas s'il sera bien accueilli.

....

5. Reliez ces phrases avec *sans.*

a. Elle a quitté notre entreprise. Elle n'a pas dit si elle avait un nouveau poste.

....

b. Il a recruté deux nouveaux collaborateurs. Il ne les a jamais vu personnellement.

....

c. Elle a décidé de créer son entreprise. Elle n'a pas demandé conseil à ses proches.

....

d. Nous avons ouvert un siège à Madrid. Nous ne parlons pas espagnol.

....

e. Je ne signerai pas ce contrat. Je n'ai pas lu toutes les clauses.

....

▨ Compréhension de l'écrit

6. Lisez la page d'accueil de ce site Internet et répondez aux questions.

ENTREPRENEURES.COM • ENTREPRENEURES.COM • ENTREPRENEURES.COM • ENTREPRENEURES.COM

ENTREPRENEURES.COM a été créé par un groupe de femmes chefs d'entreprise en 2012.
Il s'agit d'un site pour les femmes entrepreneures.

Nous avons pour mission d'accompagner les porteuses de projet et les femmes chefs d'entreprise dans leur quotidien.
Nous organisons régulièrement des évènements et des rencontres diverses.
- → Réunions de partage d'information, d'expériences et de savoir-faire.
- → Rencontres-débats.
- → Opérations avec d'autres réseaux au féminin.
- → Visites d'entreprise.
- → Business dating.
- → Évènements en partenariat avec les acteurs culturels et économiques locaux.

❖ **ENTREPRENEURES.COM** souhaite aussi mettre les entrepreneures à l'honneur à travers notamment une **page Facebook** qui réunit déjà plus de 12 000 fans.

❖ **ENTREPRENEURES.COM** est devenu le réseau pour les femmes qui se lancent dans l'aventure de l'entrepreneuriat !

Vous souhaitez vous aussi partager votre quotidien de femme chef d'entreprise, élargir votre réseau, parler ou faire parler de votre entreprise ? N'HÉSITEZ PAS ET REJOIGNEZ-NOUS !

a. Par qui et pour qui a été créé ce site ?

....

b. Quelles activités organise ce site ?

....

c. ENTREPRENEURES.COM est-il présent sur les réseaux sociaux ? Justifiez.

....

d. Combien de fan a leur page Facebook ?

....

▨ Phonétique

7. Dites si vous entendez /ʃ/ ou /ʒ/, puis répétez.

a. Charles recherche un emploi en Belgique.

b. J'ai remarqué un changement d'attitude chez Julie.

c. Je cherche une agence pour prendre en charge mon bilan de compétences.

d. Serge est ingénieur en chimie : c'est lui qui a décroché le contrat.

1 Complétez les phrases avec les mots proposés. ..... /3

carrière – sessions – doutes – décisions – évaluation – changements

a. Un bilan de compétences vous prendra au maximum 24 heures réparties sur plusieurs ....

b. Si vous avez des .... sur vos compétences, le bilan vous aidera à prendre des ....

c. Il ne faut pas avoir peur des .... professionnels ; ils sont nécessaires au cours d'une ....

d. Un cabinet de conseil se chargera de faire une .... de votre parcours.

2 Chassez l'intrus. ..... /3

a. expertise – évaluation – changement
b. nuisible – salutaire – déstabilisant
c. salutaire – nuisible – favorable

3 Conjuguez le verbe entre parenthèses. ..... /5

a. Je préfère que vous .... (*téléphoner*) vous-même ; moi, il ne m'écoutera pas.

b. Nous sommes désolés que vous .... (*devoir*) partir si vite.

c. Toute l'équipe serait contente que tu .... (*venir*) travailler dans notre service.

d. Nous avons tous été étonnés que tu .... (*ne pas avoir*) la promotion que tu espérais.

e. Je suis surpris qu'un bilan de compétences .... (*se faire*) en si peu de temps.

4 Choisissez l'articulateur qui convient. ..... /4

a. J'aimerais évoluer professionnellement, ... je ne souhaite pas quitter mon entreprise.
☐ cependant   ☐ au contraire   ☐ notamment

b. Faire son bilan de compétences, c'est simple, ... faut-il en avoir envie.
☐ c'est pourquoi   ☐ encore   ☐ bref

c. Nous avons décidé de créer notre propre entreprise, ... nous avons commencé par chercher des subventions.
☐ au contraire   ☐ en revanche   ☐ c'est pourquoi

d. Son projet était le meilleur, ... c'est un autre participant qui a obtenu le premier prix.
☐ néanmoins   ☐ de ce fait   ☐ de plus

5 Lisez cet article, puis dites si les phrases sont vraies ou fausses. Justifiez vos réponses en citant le texte. ..... /5

Le gouvernement lance un nouveau dispositif d'aide à la création d'entreprise pour les jeunes issus des quartiers difficiles qui veulent se lancer. Créer sa boîte pour s'en sortir, c'est possible. Même quand on habite un quartier difficile… Qu'ils habitent les quartiers Nord de Marseille, Vaulx-en-Velin ou Sarcelles, les créateurs vont bénéficier d'une aide de la Banque publique d'investissement (BPI) qui va investir 10 M€ dans l'opération. De la start-up high-tech au restaurant en passant par les services à la personne, tous les types de projets seront acceptés, à condition d'être viables et d'être issus d'une zone difficile. Selon un récent sondage de l'Adie, qui aide les exclus du travail, 54 % des jeunes de 18 à 24 ans de ces quartiers souhaitent créer leur entreprise. Tous, bien sûr, ne connaîtront pas la *success story* de Mohamed Dia, ce jeune créateur franco-malien de la zone franche de Sarcelles (Val-d'Oise) dont les vêtements de *streetwear* habillent aujourd'hui les plus grands rappeurs. La survie à cinq ans de ces entreprises est en effet trente fois inférieure à la moyenne nationale.

D'après www.leparisien.fr

	Vrai	Faux
a. Le gouvernement va aider les jeunes créateurs d'entreprises qui résident dans des quartiers difficiles.	☐	☐
b. Ce dispositif vise les jeunes de Paris.	☐	☐
c. Seulement des projets de high-tech ou de restauration seront acceptés.	☐	☐
d. Le gouvernement investira dix millions d'euros sur ce projet.	☐	☐
e. Ces entreprises champignons ont beaucoup moins de possibilités de survivre.	☐	☐

Préparation aux épreuves de français professionnel

Préparation au DELF Pro

Préparation au DFP Affaires

Préparation au DELF Pro

1 Compréhension de l'oral

🎧 Exercice 1   [13 points]

Écoutez cette information.
Répondez aux questions.

a. Depuis quand l'usine Jeannette est elle installée à Caen ?

☐ 1805   ☐ 1850   ☐ 1950

b. Que s'est-il passé en décembre 2013 ?

☐ L'usine a été brûlée.

☐ L'usine a été liquidée.

☐ L'usine a été rachetée.

c. Quelles ont été les conséquences ? (2 réponses)

– ....

– ....

d. Qu'est-ce qu'ont fait les 37 personnes de l'usine ?

☐ Elles ont cherché un nouveau travail.

☐ Elles ont occupé l'usine 24 h / 24.

☐ Elles ont continué à travailler.

e. Citez deux adjectifs utilisés dans le texte pour décrire l'état d'esprit des employés ?

– ....

– ....

f. Qu'est-ce que les salariés ont fait le 27 février ?

....

g. Qu'espèrent les salariés de Jeannette aujourd'hui ?

....

h. Ont-ils raison d'espérer ? Pourquoi ?

....

🎧 Exercice 2   [12 points]

Écoutez l'enregistrement de la réunion.
Répondez aux questions.

a. Quel est le but de cette réunion ?

....

b. Comment doit être le prix ? Choisissez les bonnes réponses.

☐ juste

☐ attractif

☐ bas

☐ moins cher que la concurrence

☐ avec un bénéfice

☐ identique au coût de revient

c. Pour déterminer le prix des Luniclick, il faut tenir compte de trois points importants. Lesquels ?

☐ Le prix en brut des lunettes.

☐ Le prix des lunettes chez les concurrents.

☐ Le prix de l'ancien modèle.

☐ La marge à ajouter au coût de revient.

☐ Le nombre de paires que l'on pense vendre.

☐ Les frais de livraison.

d. Quelle est l'erreur à ne pas commettre ?

....

e. Cochez les phrases exactes.

☐ L'entreprise est nouvelle sur le marché.

☐ Vu la situation actuelle, on peut fixer des marges plus grandes.

☐ L'entreprise est une entreprise établie qui a une image à défendre.

☐ Lancer les Luniclick a un prix trop bas donnerait l'image d'un produit de faible qualité.

☐ Si l'on veut cibler un type de client, il faut des prix très élevés.

2 Compréhension de l'écrit

Exercice 1   [10 points]

Vous travaillez dans une entreprise de bâtiment et travaux publics. Vous voulez développer votre activité et vous décidez de choisir un salon professionnel pour vous faire connaître davantage et rencontrer des clients potentiels. Vous assistez déjà à un salon à Biarritz du 17 au 20 septembre. Vous choisissez un autre salon qui aura lieu en octobre. Vous aimeriez qu'il se trouve dans le nord ou au centre de la France puisque vous serez dans le sud en septembre. Vous ne voulez pas dépenser plus de 4 500 euros pour le stand équipé au minimum d'un comptoir, de deux tabourets et d'une connexion wifi. Lisez les descriptions de salon, complétez le tableau et choisissez le salon qui vous convient le mieux.

> **Salon A** – Salon professionnel de l'automobile de Marseille ; accès facile depuis Paris en train (TGV) ou en avion. Pour rencontrer des professionnels de l'automobile et découvrir ce qui se fait aujourd'hui sur le marché. Le salon aura lieu du 18 au 24 septembre. Pour participer, remplissez le formulaire d'inscription et choisissez votre stand. Équipement de base : une table, 2 chaises et un écran plasma. À partir de 4 000 euros.

> **Salon B** – Le salon du bâtiment, à Paris, porte de Versailles se déroule la première semaine d'octobre. Venez découvrir ce qui se fait dans le domaine du bâtiment aujourd'hui. Réservez dès maintenant votre stand. Le stand tout équipé est à 4 000 euros ; il comprend un comptoir, 2 tabourets, un écran plasma et une connexion wifi. Téléchargez le formulaire d'inscription sur Internet.

Salon C – Le salon du bâtiment de Perpignan, dans le sud de la France, se tiendra du 15 au 18 novembre prochain. Accès rapide en avion depuis Paris. Pensez à réserver votre stand dès maintenant ! Pour 5 000 euros, nous vous proposons un stand tout équipé avec une table, deux chaises, deux présentoirs, deux écrans plasma. Nous vous offrons également votre présence dans le guide du salon.

Salon D – Salon de l'aéronautique à Toulouse, du 18 au 22 septembre. Venez découvrir toutes les nouveautés du domaine de l'aéronautique, et réservez un espace équipé pour 3 500 euros. Le prix comprend un stand de 18 m² équipé de deux tabourets, d'un comptoir, de deux écrans plasma et d'une connexion wifi. Réservez dès maintenant en remplissant le formulaire d'inscription. Préparez votre présence sur notre salon pour l'optimiser au maximum !

	SALON A		SALON B		SALON C		SALON D	
	Oui	Non	Oui	Non	Oui	Non	Oui	Non
Situation géographique								
Prix du stand								
Équipement du stand								
Domaine d'activité								
Dates								

• Quel salon choisissez-vous ? ....

Exercice 2

15 points

Lisez l'article sur les séminaires d'entreprise et répondez aux questions.

Les séminaires d'entreprise

Les séminaires destinés à motiver les collaborateurs et à renforcer la cohésion des équipes sont à la mode dans les entreprises. Nous vous proposons de découvrir les règles qui encadrent ces séminaires d'entreprise.

Les séminaires d'entreprise désignent toutes sortes de réunions de travail organisées en dehors du contexte professionnel habituel des participants. Ils peuvent durer une journée ou un week-end.
Un séminaire d'entreprise, aussi appelé séminaire de motivation ou séminaire de cohésion d'équipe (« *team building* » en anglais) peut prendre des formes diverses, du trekking aux jeux de rôle, en passant par les courses d'orientation. Dans tous les cas, les activités proposées ont pour but de renforcer la cohésion des équipes et d'impliquer davantage les collaborateurs, en bref de développer l'esprit d'entreprise.

Le Code du travail ne prévoit aucune réglementation particulière en ce qui concerne les séminaires d'entreprises. Si vous participez à un séminaire et que les activités proposées vous mettent mal à l'aise ou vous mettent en danger (vous ne savez pas nager par exemple), vous êtes en droit de refuser de les pratiquer.
Dans les séminaires, votre présence est considérée comme du temps de travail effectif.
Par conséquent, tout accident survenant lors des activités proposées doit être déclaré en tant qu'accident du travail. En revanche, même quand les séminaires se déroulent le week-end, ils ne donnent pas lieu à récupération.

Les séminaires sont-ils obligatoires ?
En matière de séminaires d'entreprise, il faut distinguer : les séminaires de motivation qui ne sont pas obligatoires et les séminaires de travail qui font partie de vos obligations professionnelles.
Si vous ne participez pas à un séminaire de motivation ou que vous déclinez les activités sportives ou annexes lors d'un séminaire de travail, votre employeur ne peut retenir aucune sanction contre vous. Sachez toutefois que votre refus de participer peut être interprété comme un manque de motivation ou une mauvaise intégration dans l'entreprise.

D'après www.gralon.net

a. Qu'est ce qu'un séminaire ?

....

b. À quoi servent les séminaires d'entreprises ?

....

c. Quel autre nom peut-on utiliser pour désigner un séminaire ?

....

d. Citez 3 exemples d'activités qui peuvent être proposées en séminaire ?

– ....

– ....

– ....

e. Quels sont les objectifs des activités proposées en séminaires ? (3 réponses attendues)

– ....

– ....

– ....

f. Cochez la réponse exacte et justifiez en citant le texte.

	Vrai	Faux
• Les activités proposées en séminaires sont obligatoires.	☐	☐

→ ....

• Si vous assistez à un séminaire, ce n'est pas comme si vous étiez au travail.	☐	☐

→ ....

- Si le séminaire a lieu le dimanche, vous avez le droit à un jour de récupération. ☐ ☐
→ ....

- Ne pas participer à un séminaire de motivation peut être sanctionné. ☐ ☐
→ ....

g. Que risque de penser votre directeur si vous ne participez pas à un séminaire de motivation ?
....

3 Production écrite | 25 points

Vous avez fait une réservation pour une chambre d'hôtel, vous recevez la confirmation mais certaines de vos demandes n'ont pas été prises en compte. Vous envoyez un mail à l'hôtel pour modifier cette réservation.
(160 mots minimum)

4 Production orale | 25 points

L'épreuve se déroule en 3 parties qui s'enchaînent. Elle dure entre 10 et 15 minutes.

• Entretien dirigé (sans préparation) | *2 à 3 minutes environ*

Vous parlez de vous, de vos activités professionnelles, de vos différentes tâches, de vos conditions de travail, de votre formation, de vos expériences professionnelles précédentes et de vos projets professionnels.
L'examen se déroule sur le mode d'un entretien avec l'examinateur qui amorcera le dialogue avec une question telle que : « Bonjour, pouvez-vous me parler de vous, de vos activités professionnelles… ? »

• Exercice en interaction

(sans préparation) | *3 à 4 minutes environ*

→ *Un sujet au choix.*

Sujet 1
Vous partez en voyage d'affaires. Un problème à l'aéroport vous empêche de prendre votre avion. Vous téléphonez à votre collègue qui doit venir vous chercher à l'arrivé pour lui expliquez la situation.
L'examinateur joue le rôle du collègue.

Sujet 2
L'entreprise de livraison a perdu votre colis.
Vous téléphonez à l'entreprise pour lui demander ce qu'elle compte faire pour régler le problème.
L'examinateur joue le rôle de l'employé de l'entreprise.

• Expression d'un point de vue

(avec préparation de 10 minutes) | *5 à 7 minutes environ*

Vous dégagez le thème soulevé par le document ci-dessous, et vous présentez votre opinion sous la forme d'un court exposé de 3 minutes environ. L'examinateur pourra vous poser quelques questions.

→ *Un texte au choix.*

Document 1
Les entreprises gérées par les femmes sont-elles plus rentables et plus performantes ? La question revient régulièrement et le palmarès de Women Equity for Growth répond sans conteste par l'affirmative. Pour preuve, sur les 25 164 entreprises françaises qui réalisent plus de 4 millions d'euros de chiffre d'affaires en 2010, celles qui sont dirigées par des hommes (88 %) ont enregistré une croissance moyenne sur trois ans de 4,4 %, et affichent un taux de rentabilité de 5,6 %. Les quelque 3 000 entreprises restantes managées par des femmes font mieux, avec une croissance de 4,8 % et 6,6 % de rentabilité.

D'après www.gralon.net

Document 2
Quelle est votre politique concernant la vie privée et la protection des données ? Nos clients ont pris l'habitude d'échanger des documents par email, partager des photos avec leurs amis, ou acheter des biens en ligne. Pour cela ils nous confient des données personnelles et il est de notre responsabilité de les protéger et d'informer nos clients de l'utilisation que l'on en fait. Nous avons publié une charte, applicable à tous les salariés, qui précise les règles de sécurité de l'information. L'accès aux bases de données contenant les informations personnelles de nos clients est très contrôlé et limité. Nous avons même intégré, sur tous les contrats signés avec nos partenaires et fournisseurs, une clause sur la protection des données personnelles. Et bien entendu, nous n'utilisons jamais les données de nos clients à des fins commerciales sans leur accord.

D'après www.culturemobile.net

Préparation au DFP Affaires de la CCIP

1 Compréhension écrite

25 points

Exercice 1

Prenez connaissance du document suivant. Lisez les questions et cochez la réponse A, B, C ou D qui vous paraît exacte. Attention, une seule réponse est exacte.

Le processus de recrutement
Le temps passé
Un processus chronophage pour tout le monde

Candidats	Recruteurs
Combien d'heure par jour passez-vous à chercher un emploi ?	*Combien de temps prend le processus de recrutement, en moyenne, entre l'ouverture du poste et l'embauche du candidat ?*
4 heures / jour **25 %**	**1** heure / jour **30 %**	**2 mois** pour un recrutement **32 %**	**3 mois** pour un recrutement **25 %**
À combien d'offres d'emploi répondez-vous en moyenne par semaine ?	*Combien de temps passez-vous en moyenne sur chaque CV ?*
51 % des candidats répondent à **3** offres par semaines.	**69 %** des recruteurs passent moins d'**1** minute par CV.

D'après www.blogdumoderateur.com

1. Pour trouver un emploi, le tiers des candidats consacrent...
   A. 2 mois.
   B. 1 heure par jour.
   C. 4 heures par jour.
   D. 3 mois.

2. Les recruteurs consacrent en moyenne, pour chaque CV reçu, ...
   A. 3 minutes.
   B. plus de 30 minutes.
   C. moins d'une minute.
   D. 30 minutes.

3. La moitié des personnes en recherche d'emploi répondent à...
   A. 3 offres par semaine.
   B. 1 offre par jour.
   C. 30 offres sur deux mois.
   D. 50 offres par semaine.

4. Pour 32 % des recruteurs, le processus de recrutement, depuis la création du poste jusqu'à l'embauche, prend...
   A. 3 semaines.
   B. 25 jours.
   C. 4 heures.
   D. 2 mois.

Exercice 2

Lisez l'article suivant sur les voyages d'affaires et complétez les phrases en cochant A, B ou C.

Les voyages d'affaires redécollent début 2014

Au 1er trimestre 2014, les voyages d'affaires ont connu une embellie et augmenté de 2,4 %. Aujourd'hui les déplacements professionnels se font de plus en plus en classe éco (51 %). Dans 59 % des cas, la durée moyenne des voyages d'affaires est en majorité d'une journée. Le but de ces déplacements ? 79 % voyagent pour rencontrer des prospects et 66 % pour rencontrer des clients.

L'intégration des compagnies *low cost* dans le voyage d'affaires est devenue fréquente. Ainsi, 30 % des voyageurs d'affaires utilisent ces compagnies dès que possible. Pour 60 % des voyageurs, c'est l'entreprise qui leur impose ce type de compagnie.

Les voyageurs qui se déplacent en train sont 17 % à utiliser uniquement des tarifs pros, la majorité (61 %) utilisant sans distinction les tarifs pros et les tarifs loisirs.

Les réseaux sociaux sont peu utilisés par les voyageurs d'affaires : ils sont 86 % à ne pas s'en servir dans le cadre professionnel. Mais chose étonnante, en déplacement professionnel, ils sont 84 % à utiliser les réseaux sociaux pour rechercher des activités ou des services sur place, par exemple un restaurant.

Enfin, en mars 2014, ils étaient 44 % à considérer que « l'agence de voyage ne sert à rien, on trouve mieux sur Internet ». Aujourd'hui, 41 % des voyageurs considèrent pourtant qu'elle est utile et anticipe les problèmes. 39 % d'entre eux restent néanmoins persuadés qu'elle se contente de vendre une prestation sans apporter de valeur ajoutée.

D'après decision-achats.fr

1. Pour les voyages d'affaires, ...
   A. le tiers des voyageurs n'utilisent jamais les compagnies *low cost*.
   B. les deux tiers des voyageurs utilisent en priorité les compagnies *low cost*.
   C. 60 % des salariés sont obligés par leur entreprise d'utiliser les compagnies *low cost*.

2. Pour la majorité des voyageurs, le but des voyages d'affaires est de...
   A. vendre des produits.
   B. avoir de nouveaux clients.
   C. rencontrer des clients.

3. Près de la moitié des voyageurs d'affaires pense que...
   A. les agences de voyage ne sont pas utiles.
   B. il est préférable de s'adresser aux agences de voyages, plutôt que de consulter Internet.
   C. les agences de voyages ne sont pas expertes en déplacements professionnels.

4. Au premier trimestre 2014, ...
   A. les voyages d'affaires ont baissé de 2,4 % par rapport au dernier trimestre 2013.

B. les voyages d'affaires ont augmenté de 2,4 % par rapport au dernier trimestre 2013.

C. il y a eu autant de voyages d'affaires que le trimestre précédent.

5. Lors des déplacements professionnels, ...

A. les réseaux sociaux ne sont jamais utilisés.

B. les réseaux sociaux sont utilisés pour rechercher des activités à faire sur place.

C. une majorité des voyageurs utilisent les réseaux sociaux pour les activités professionnelles.

2 Compréhension et expression écrites

20 points

• **Votre société sera présente au salon du Meuble de Paris. Deux semaines avant l'ouverture du salon, vous recevez par courrier électronique le message suivant.**

De : Patricia Leleu
À : M. Casa
Objet : Réservation de stand

Monsieur,

Nous faisons suite à votre réservation de stand effectuée le 3 mars dernier. En raison de modifications indépendantes de notre volonté sur le salon, nous ne pouvons pas satisfaire entièrement votre demande. Vous aviez réservé un stand de 16 mètres carrés, ouvert sur trois côtés ; or, nous ne pouvons que vous proposer un stand de taille inférieure, 10 mètres carrés, et ouvert sur un seul côté. Vous ne pourrez donc pas disposer d'un coin salon car cet espace est réservé aux stands de plus de 12 mètres carrés. Vous aurez cependant une étagère supplémentaire, donc deux en tout, ainsi qu'une petite table.

Pourriez-vous nous envoyer le logo et les éléments de signalétique que vous souhaitez faire apparaître, sachant que vous ne disposez plus que d'une largeur de quatre mètres ?

Veuillez accepter nos excuses et agréer, Monsieur, nos salutations distinguées.

Patricia Leleu
Organisation et logistique

• **Vous répondez, par courrier électronique, en prenant en compte les éléments suivants :**
– **vous accusez réception du courrier électronique ;**
– **vous n'êtes pas content des changements survenus ;**
– **vous refusez les nouvelles propositions ;**
– **vous demandez un autre stand, avec d'autres caractéristiques ;**
– **vous demandez les raisons du changement ;**
– **vous attendez une réponse favorable et vous prenez congé.**

• **Votre réponse doit comporter entre 70 et 100 mots.**

De :
À :
Objet :

3 Compréhension orale

25 points

 **Exercice 1**

• **Écoutez l'enregistrement. Répondez aux questions.**

a. Combien de personnes devrait recruter Xavier Niel s'il rachetait le réseau de Bouygues Telecom ?

b. Quel est l'accord passé entre Free et Bouygues télécom ?

☐ Céder son réseau et ses fréquences.

☐ Garder tous les employés de chez Bouygues.

☐ Offrir un prix plus élevé que la concurrence.

c. Quel est l'objectif pour le marché et le régulateur des télécoms ?

d. Que se passerait-il si Vivendi préférait l'offre de Numéricable ?

☐ Free sortirait moins fort.

☐ Free sortirait aussi fort.

☐ Free sortirait plus fort.

e. Pourquoi le groupe Vivendi réunit son conseil d'administration demain ?

🎧 Exercice 2

**• Écoutez l'enregistrement.
Répondez aux questions.**

a. Quel est le métier d'Audrey Puccini ? En quoi consiste ce métier ?

....

....

....

b. Quelles sont les 2 premières choses qu'Audrey Puccini fait ?

– ....

– ....

c. Remettez les différentes étapes dans l'ordre.

• Faire une proposition compatible
avec le budget du client.   Étape n° ....

• Définir le cahier des charges.   Étape n° ....

• Définir le calendrier avec réunions
de préparation et de suivi.   Étape n° ....

d. Le but c'est que le client soit ....

e. Pourquoi est-ce qu'Audrey Puccini sollicite le client? (2 réponses attendues)

– ....

– ....

f. Audrey Puccini est-elle présente sur les événements ? Pourquoi ?

....

g. Quelles sont les qualités indispensables pour faire le métier d'Audrey Puccini ? (3 réponses attendues)

– ....

– ....

– ....

4 Expression orale

30 points

**Prenez connaissance des deux documents ci-dessous.
Devant l'examinateur, donnez votre point de vue par
rapport au télétravail et énoncez les avantages et les
inconvénients.
Expliquez quelle est la situation dans votre entreprise ou
dans votre pays et comparez-la avec la situation en France.**

Tour de France du Télétravail
Synthèse de la première enquête nationale sur le télétravail et les lieux de télétravail

16,7 %
des Français télétravaillent
plus d'une fois par semaine
en dehors du bureau.

Ces télétravailleurs télétravaillent :

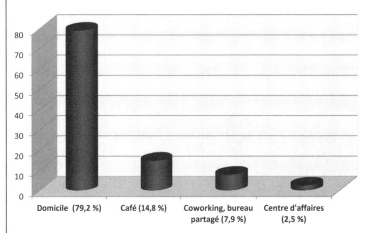

| | Domicile (79,2 %) | Café (14,8 %) | Coworking, bureau partagé (7,9 %) | Centre d'affaires (2,5 %) |

Enquête réalisée par LBMG Worklabs, Neo-nomade, Openscop et Zevillage.
www.tourdefranceduteletravail.fr

Le Pays de Murat a organisé ce vendredi son 4ᵉ forum du télétravail : l'occasion de promouvoir les actions qu'il mène pour
attirer de nouveaux actifs et de récupérer quelques candidatures.
L'enjeu est essentiel pour ce territoire qui est très touché par la
désertification. Dans les années 1950, on comptait 12 000 habitants dans cette région contre 6 000 en 2012. « Il y a cinq ou
six ans, nous avons fait le pari que l'essor du télétravail pouvait
être un outil pour reconquérir des habitants », explique Bernard
Delcros, président de la communauté de communes. À ce jour,
le Pays de Murat a accueilli de nouveaux télétravailleurs, essen-
tiellement des indépendants, une cinquantaine de personnes. À
l'échelle de la région parisienne, c'est très peu, mais au Pays de
Murat ce n'est pas marginal. Certaines communes ne comptent
que 100 habitants.

D'après www.lefigaro.fr, 22 octobre 2012.

Vidéos

UNITÉ 1 Au séminaire

Résumé : Caroline et Stéphanie participent au séminaire de leur entreprise. Elles profitent d'un temps libre pour faire un footing.

■ Activités d'observation

1. Les phrases suivantes sont-elles vraies ou fausses ?

	Vrai	Faux
a. Caroline porte une écharpe.	☐	☐
b. Stéphanie est à gauche.	☐	☐
c. Caroline s'arrête et boit de l'eau.	☐	☐
d. Stéphanie porte une jupe.	☐	☐

2. Choisissez la bonne réponse.

a. Caroline et Stéphanie sont...
- ☐ en séminaire.
- ☐ en vacances.
- ☐ à la maison.

b. La scène se déroule...
- ☐ en ville.
- ☐ dans les bois.
- ☐ dans le train.

c. Stéphanie porte un pull...
- ☐ rouge.
- ☐ violet.
- ☐ vert.

■ Activités de compréhension

3. Les phrases suivantes sont-elles vraies ou fausses ?

	Vrai	Faux
a. C'est le premier séminaire de Caroline.	☐	☐
b. Stéphanie pense que le séminaire est un outil de management efficace.	☐	☐
c. Le but d'un séminaire est d'aller se reposer à la campagne.	☐	☐
d. Stéphanie a participé à la préparation du séminaire.	☐	☐

4. Choisissez la bonne réponse.

a. L'entreprise de Stéphanie et Caroline organise un séminaire...
- ☐ tous les ans.
- ☐ tous les deux ans.
- ☐ deux fois par an.

b. Selon Caroline, le dîner entre collègues de la veille était...
- ☐ long et ennuyeux.
- ☐ détendu et agréable.
- ☐ surprenant et amusant.

c. Stéphanie pense que l'atelier théâtre est parfait...
- ☐ pour la DRH.
- ☐ pour le service de communication.
- ☐ pour les commerciaux.

d. Pour la fin du séminaire, la direction des ressources humaines a prévu...
- ☐ de distribuer un questionnaire.
- ☐ d'organiser des tables rondes.
- ☐ d'inviter les participants à un dîner.

UNITÉ 3 Une opération marketing

Résumé : Manon retrouve Virginie en salle de réunion pour faire un point sur la stratégie de lancement de leur application mobile.

◼ Activités d'observation

1. Les phrases suivantes sont-elles vraies ou fausses ?

	Vrai	Faux
a. Virginie travaille sur un ordinateur portable.	☐	☐
b. Manon porte des lunettes.	☐	☐
c. Manon prend des notes sur un cahier.	☐	☐
d. Virginie scanne un QR code avec son smartphone.	☐	☐

2. Choisissez la bonne réponse.

a. Virginie a les cheveux…
☐ noirs.
☐ blonds.
☐ roux.

b. Pendant **leur réunion, Manon a…**
☐ les bras croisés.
☐ les mains posées sur la table.
☐ son téléphone portable dans la main.

c. Virginie sort une pochette…
☐ rouge.
☐ jaune.
☐ bleue.

◼ Activités de compréhension

3. Les phrases suivantes sont-elles vraies ou fausses ?

	Vrai	Faux
a. L'idée d'utiliser un QR code vient de Manon.	☐	☐
b. L'objectif du jeu est d'inciter au téléchargement de leur application.	☐	☐
c. L'utilisation du QR code est complexe.	☐	☐
d. La technologie du QR code est compatible avec tous les smartphones.	☐	☐
e. Un QR code est forcément noir et blanc.	☐	☐

4. Choisissez la bonne réponse.

a. Pour participer au jeu, il suffit…
☐ de déposer son bulletin dans une urne.
☐ de scanner un QR code.
☐ d'envoyer un SMS.

b. La cible principale de cette campagne est la tranche des…
☐ 15–18 ans.
☐ 18–35 ans.
☐ 35–45 ans.

c. Pour l'entreprise, l'intérêt d'utiliser un QR code est de pouvoir…
☐ récupérer les e-mails des utilisateurs.
☐ se faire connaître.
☐ rajeunir sa campagne de communication.

UNITÉ 6 Travailler autrement

Résumé : Clément reçoit Virginie pour faire un point sur sa nouvelle équipe. Celle-ci lui fait part de la demande d'un de ses collaborateurs qui souhaite travailler à distance.

◼ Activités d'observation

1. Les phrases suivantes sont-elles vraies ou fausses ?

	Vrai	Faux
a. Virginie porte une jupe.	☐	☐
b. Clément porte une cravate.	☐	☐
c. Clément est blond.	☐	☐
d. Derrière Clément, il y a un petit coin café.	☐	☐

2. Choisissez la bonne réponse.

a. La table autour de laquelle se trouvent Virginie et Clément est…
☐ ronde.
☐ carrée.
☐ triangulaire.

b. Sur la table, il y a…
☐ un ordinateur.
☐ des dossiers.
☐ un pot à crayons.

c. Sur le mur du fond, entre Clément et Virginie, il y a...
- ☐ un écran plat.
- ☐ une affiche bleue et blanche.
- ☐ un calendrier.

■ Activités de compréhension

3. Les phrases suivantes sont-elles vraies ou fausses ?

	Vrai	Faux
a. L'emploi du temps de Clément est très chargé.	☐	☐
b. Virginie a toujours un stylo sur elle.	☐	☐
c. Virginie travaille avec la même équipe depuis deux ans.	☐	☐
d. Clément est favorable au télétravail.	☐	☐

4. Choisissez la bonne réponse.

a. Virginie a mis en place un système de carte heuristique pour...
- ☐ que chacun pointe ses heures travaillées.
- ☐ expliquer le fonctionnement du service.
- ☐ aider à mieux se repérer dans les bureaux.

b. Selon Virginie, par rapport aux autres salariés, les télétravailleurs sont...
- ☐ moins efficaces.
- ☐ plus efficaces.
- ☐ aussi efficaces.

c. Clément impose une journée de présence à Anthony pour que celui-ci...
- ☐ reste connecté à son équipe.
- ☐ rende compte de son travail.
- ☐ suive une formation sur la sécurisation du réseau informatique.

UNITÉ 8 Internet et les données personnelles

Résumé : Nicolas prépare un article sur la protection des données personnelles. Son ami Hugo le rejoint et l'interroge à ce sujet.

■ Activités d'observation

1. Les phrases suivantes sont-elles vraies ou fausses ?

	Vrai	Faux
a. Nicolas porte des lunettes.	☐	☐
b. Sur le mur, il y a un tableau représentant la tour Eiffel.	☐	☐
c. Hugo a les cheveux longs.	☐	☐
d. Nicolas travaille sur un bureau moderne.	☐	☐

2. Choisissez la bonne réponse.

a. Hugo tient à la main...
- ☐ une tasse.
- ☐ un verre.
- ☐ une canette de soda.

b. Nicolas écrit son article avec...
- ☐ une machine à écrire.
- ☐ un ordinateur portable.
- ☐ un cahier et un stylo.

c. La chemise de Nicolas est...
- ☐ bleue.
- ☐ marron.
- ☐ rose.

■ Activités de compréhension

3. Les phrases suivantes sont-elles vraies ou fausses ?

	Vrai	Faux
a. Les données personnelles intéressent les géants du numérique.	☐	☐
b. Selon Nicolas, le commerce électronique est en plein essor.	☐	☐
c. Hugo pense que les lois françaises protègent bien l'internaute.	☐	☐
d. L'Europe représente un marché de plus de 350 millions de personnes.	☐	☐

4. Choisissez la bonne réponse.

a. Le pétrole du numérique est le surnom que Nicolas donne à...
- ☐ la musique sur Internet.
- ☐ les données personnelles.
- ☐ le *streetview*.

b. La CNIL, c'est...
- ☐ la Commission Nationale de l'Information Légale.
- ☐ la Commission Nationale de l'Informatique et des Libertés.
- ☐ la Communauté Numérique de l'Internet Libre.

c. Dans l'affaire du *streetview*, quel est le pays qui a découvert le piratage des données personnelles ?
- ☐ la France
- ☐ le Portugal
- ☐ l'Allemagne

UNITÉ 10 Trouver un financement

Résumé : Stéphane reçoit Manon dans son bureau. Celle-ci veut créer son entreprise. Elle demande des conseils à Stéphane.

▨ Activités d'observation

1. Les phrases suivantes sont-elles vraies ou fausses ?

	Vrai	Faux
a. Stéphane ne porte pas de cravate.	☐	☐
b. À son arrivée, Manon porte une écharpe.	☐	☐
c. Les cheveux de Manon sont tirés en queue de cheval.	☐	☐
d. Manon a apporté son dossier de demande de crédit.	☐	☐

2. Choisissez la bonne réponse.

a. Manon porte…
- ☐ une veste noire.
- ☐ un pull gris.
- ☐ une chemise marron.

b. À côté du bureau de Stéphane, il y a…
- ☐ une fontaine à eau.
- ☐ une imprimante.
- ☐ une corbeille à papier.

c. Les couleurs principales des affiches promotionnelles de la banque sont…
- ☐ le jaune et le rouge.
- ☐ le gris et le vert.
- ☐ le blanc et l'orange.

d. Stéphane est de type…
- ☐ européen.
- ☐ africain.
- ☐ asiatique.

▨ Activités de compréhension

3. Les phrases suivantes sont-elles vraies ou fausses ?

	Vrai	Faux
a. Manon veut créer un commerce de cupcakes.	☐	☐
b. Selon Stéphane, le dossier de Manon est bien présenté.	☐	☐
c. La rencontre se déroule dans le bureau de Manon.	☐	☐
d. Manon n'a pas encore trouvé de lieu pour ouvrir son commerce.	☐	☐

4. Choisissez la bonne réponse.

a. Selon Stéphane, quand on crée un commerce, il faut privilégier…
- ☐ la qualité des produits.
- ☐ l'emplacement du magasin.
- ☐ le choix des employés.

b. Stéphane prétend que la tendance actuelle du marché est plutôt…
- ☐ bonne.
- ☐ morose.
- ☐ stable.

c. En plus de son magasin, Manon veut vendre ses cupcakes…
- ☐ à la sortie des écoles.
- ☐ dans les restaurants.
- ☐ sur Internet.

Transcriptions

Unité 1

▶ Leçon 1 – page 6

Femme 1 : Notre nouveau produit est moins cher qu'avant et très fiable. Cependant, avant de commercialiser ce produit, nous avons étudié la concurrence. Nous avons appris beaucoup de choses vraiment intéressantes ! Nous avons donc renforcé notre équipe commerciale. Avant nos clients étaient seulement les entreprises. Maintenant, nous nous adressons directement aux particuliers, comme nos concurrents.

Femme 2 : Et tout ça grâce au benchmarking ?

Femme 1 : Tout à fait. Nous avons également développé notre communication sur Internet. Grâce aux réseaux sociaux, nous avons touché plus de personnes. Quand nous avons commencé à travailler avec les particuliers, nous nous sommes rendus compte qu'Internet et les réseaux sociaux avaient une grande influence sur les ventes.

▶ Leçon 2 – Page 8

Homme 1 : Dans cet atelier, nous allons réfléchir tous ensemble aux actions à mettre en place pour augmenter notre chiffre d'affaires. J'attends vos suggestions.

Homme 2 : Il faut développer la publicité. Je propose une campagne promotionnelle pour attirer de nouveaux clients.

Femme : Surtout, il faut mettre à jour plus souvent notre site Internet. Qu'est-ce que vous pensez du placement de produit ? Ça veut dire que notre marque apparaît dans des séries télévisées.

Homme 1 : Très bonne idée. Ça permet de toucher un maximum de personnes. D'autres propositions ?

Homme 2 : Je crois que nous ne sommes pas assez nombreux au service commercial. Il faut embaucher, au moins un stagiaire.

Homme 1 : Ce n'est pas à l'ordre du jour.

Femme : Pour moi, un benchmark s'impose. Nous ne regardons pas assez les offres de la concurrence.

Homme 1 : Très juste. C'est une excellente idée, facile à mettre en œuvre !

▶ Leçon 3 – page 10

Dimitri : Alors, nous partons le 25 avril en Savoie pendant 3 jours. Tout est prêt ?

Magali : Oui, j'ai réglé les derniers détails. Nous partons mardi matin à 8 h 50. Nous arriverons en fin de matinée. Monsieur Paulin fera un discours de bienvenue et présentera le programme de ces 3 jours. Après nous déjeunerons ensemble. Les ateliers débutent à 14 h 30. Finalement, c'est Maud qui animera l'atelier sur les opérations marketing.

Dimitri : Ce n'est pas Gladys ?

Magali : Non. Gladys présentera les résultats du benchmark le dernier jour du séminaire. Et elle animera son atelier autour du benchmarking.

Dimitri : Parfait. Et en ce qui concerne les activités de team building ?

Magali : Il y a différentes activités : du rafting pour les sportifs et des cours de cuisine pour les gourmands !

Dimitri : Et pour les sportifs gourmands ?

Unité 2

▶ Leçon 1 – page 14

Journaliste : Bonjour Sara Milor. Expliquez-nous comment les compagnies aériennes fixent les prix des billets d'avion.

Sara Milor : C'est assez complexe. Tout dépend de la destination, de la date du voyage, de l'horaire et de la compagnie. Et il faut également prendre en compte les taxes. Les taxes sont importantes.

Journaliste : Les tarifs varient selon la période de l'année, mais aussi selon les jours de la semaine, selon l'horaire.

Sara Milor : Exactement. Certaines plages horaires sont beaucoup plus demandées. Par conséquent les tarifs sont plus élevés. Ainsi un vol très tôt le matin est moins cher qu'un vol en milieu de matinée. Et bien sûr, les tarifs varient avec les saisons. En haute saison, les compagnies aériennes n'ont aucun mal à remplir les avions vers certaines destinations. Donc le prix des billets est très élevé. Il faut savoir que le prix d'un billet peut évoluer très rapidement. Les compagnies aériennes ont le droit de modifier les prix comme elles le souhaitent en fonction de la demande. Lorsque la demande est faible, les prix sont plus avantageux car la compagnie a tout intérêt à remplir ses appareils.

Journaliste : Merci Sarah pour ces explications. À vous de trouver les meilleurs tarifs !

▶ Leçon 2 – Page 16

Une journaliste : Bonjour Florent, pouvez-vous nous parler de votre nouvelle entreprise ?

Florent Farel : Bonjour, je viens de me lancer dans un projet de livraison de panier bio aux entreprises. Je travaille avec des agriculteurs de produits bio. Je suis un intermédiaire entre les agriculteurs et les consommateurs. Je livre les produits directement sur le lieu de travail.

Une journaliste : Comment ça fonctionne ?

Florent Farel : Le principe est simple. Vous commandez des paniers sur mon site Internet et je vous les livre sur votre lieu de travail.

La journaliste : Très bien, mais il faut être nombreux à commander dans l'entreprise ?

Florent Farel : Pas obligatoirement. On peut être seul, mais ça n'est pas très intéressant. Le panier sera plus cher et les délais de livraison plus longs. Plus vous êtes nombreux, moins vous payez cher.

La journaliste : Quel est l'avantage de passer par vous ?

Florent Farel : C'est un canal court, je suis le seul intermédiaire. Donc tout le monde est gagnant : les consommateurs, les agriculteurs et moi !

La journaliste : Vos clients sont satisfaits ?

Florent Farel : Je crois. Dans les grandes villes, les gens n'ont pas le temps d'aller au marché, ils travaillent beaucoup. Avec moi, ils ont des produits frais et bio sans se déplacer. Et j'ai de plus en plus de clients !

▶ Leçon 3 – page 18

Madame Feliciano : Transport plus, bonjour.

Monsieur Mathieu : Bonjour Madame, je souhaite des informations sur votre service de fret. Nous sommes une entreprise de produits pharmaceutiques et nous avons beaucoup de clients en Amérique latine et depuis peu au Costa Rica. Quels sont les délais de livraison et les tarifs pour le Costa Rica ?

Madame Feliciano : En Europe, les délais de livraison sont en général de 4 jours. Pour le Costa Rica, il faut bien compter dix jours. Tout dépend des produits, de la quantité...

Monsieur Mathieu : Nous avons des flacons de produits pharmaceutiques et c'est très fragile.

Madame Feliciano : Nous travaillons déjà avec plusieurs entreprises de produits pharmaceutiques. Pour des renseignements plus précis sur les envois au Costa Rica, je peux vous passer monsieur Sati. Il s'occupe de cette zone.

Monsieur Mathieu : Très volontiers.

Madame Feliciano : Un instant s'il vous plaît. Je vous le passe.

Unité 3

▶ Leçon 1 – page 22

La Fevad, la fédération de e-commerce et de la vente à distance, représente l'ensemble des acteurs du e-commerce et de la vente à distance. Elle accompagne les entreprises et s'occupe de promouvoir le développement du secteur. En partenariat avec OpinionWay, la Fevad réalise actuellement une étude visant à mieux comprendre le mécanisme de e-commerce.

Selon cette étude, les Français ont dépensé, en e-commerce, plus de 12 milliards d'euros au deuxième semestre 2013, soit une augmentation de 16 % sur un an. L'étude montre que les ventes sur smartphone, tablettes et applications mobiles ont explosé : elles ont augmenté de 120 %. Et sur un an, la part des achats réalisés sur mobile a doublé. En 2014, le chiffre d'affaires de l'Internet mobile devrait représenter environ six fois celui de l'année 2011 ! Dans ce contexte, la qualité et l'intensité du lien qui unit le client au site e-commerce devient un enjeu primordial. La force de ce lien, c'est l'engagement client.

▶ Leçon 2 – page 24

Femme : Vous êtes expert en marketing. Merci d'intervenir auprès de nos étudiants pour cette séance autour du marketing de rue. Une première question...

L'étudiant 1 : Comment est né le *street marketing* ?

L'expert : L'ancêtre du marketing de rue, c'est l'homme-sandwich ! Depuis, il a beaucoup évolué. Au départ, on a surtout utilisé le *street marketing* pour attirer l'attention des jeunes. La publicité traditionnelle, c'est-à-dire la radio et la télévision, n'avait plus aucun effet sur eux.

Une étudiante : Moi, par *street marketing*, j'entends surtout affichage sauvage ou distribution de prospectus...

L'expert : Oui, c'est ce que pensent beaucoup de gens. En réalité, c'est bien plus que ça. D'ailleurs la diversité des marques qui ont recours au *street marketing* montre bien qu'il s'agit d'un moyen de communication riche. Le *street marketing* offre beaucoup de possibilités. Les enseignes veulent se faire remarquer. Elles veulent qu'on se souvienne d'elles. C'est la recherche de cette originalité qui pousse les publicistes à monter des opérations de *street marketing*.

L'étudiant 1 : D'après vous, c'est seulement un effet de mode, ou c'est le début d'une nouvelle manière de communiquer ?

L'expert : Je ne crois pas qu'il s'agisse d'un effet de mode. D'ailleurs le *street marketing* évolue en permanence, innove. La ville offre des opportunités à l'infini pour ce genre de campagne. Il y a cependant trois règles à respecter : une présence éphémère, une action rapide, et un fort impact visuel.

▶ Leçon 3 – page 26

Femme : Quel est l'avenir de la vente et des vendeurs aujourd'hui ? La question se pose dans un monde en plein changement et où de plus en plus d'achats se font sur Internet via les ordinateurs, les tablettes ou les smartphones. Matteo Allard, que pensez-vous de cette évolution ?

Matteo Allard : On a beau dire, on aura toujours besoin de vendeurs, de personnes qui se déplacent, qui vont sur le terrain. Rien ne remplace le contact humain. En revanche, on demande aux vendeurs des profils plus complexes. Ils doivent avoir à la fois des compétences commerciales mais aussi des connaissances en marketing. Ils doivent vendre bien sûr, mais ils doivent aussi être capables d'analyser le marché. Ils doivent faire remonter l'information. On va encore avoir besoin longtemps de vendeur ! De plus, des secteurs non marchand recrutent aujourd'hui des professionnels de la vente, par exemple l'art, la culture, le spectacle vivant, les associations...

Unité 4

▶ Leçon 1 – page 30

Homme 1 : Nous avons un stand sur votre salon la semaine prochaine et je voudrais vérifier avec vous quelques points.

Homme 2 : Alors, il me faut le nom de votre entreprise et la référence qui se trouve sur le formulaire de réservation.

Homme 1 : C'est l'entreprise FITOP et la référence est 1427 GRSH 221.

Homme 2 : Très bien. Vous avez réservé un stand de 12 mètres carrés, en formule Prestige, c'est bien ça ?

Homme 1 : Tout à fait, pour 3 jours.

Homme 2 : Oui. Vous avez donc 2 écrans plats, une connexion Internet wifi, 2 tabourets et un comptoir, des spots pour l'éclairage et un boîtier électrique.

Homme 1 : Pour les badges, ça se passe comment ?

Homme 2 : Vous retirerez les badges à l'accueil du salon. Vous avez 4 badges.

Homme 1 : La formule Prestige inclut aussi notre présence dans le guide du salon, n'est-ce pas ?

Homme 2 : Oui, votre nom apparaîtra avec votre logo.

Homme 1 : Je vous remercie pour toutes ces précisions.

▶ Leçon 2 – page 32

Hélène : Alicia, pour la semaine prochaine, il y a des changements sur le planning du salon ?

Alicia : Oui. Alors je récapitule. Vous arrivez mercredi à 9 h 30 sur le stand. Vous déjeunez à 13 heures avec les responsables de Kavidis. Puis vous avez rendez-vous avec un client à 15 heures.

Hélène : Très bien, ici pas de changement ?

Alicia : Si, votre rendez-vous était à 16 heures à l'origine.

Hélène : Ah, oui en effet. Je note donc. Et le jeudi, la présentation a lieu à 11 heures ?

Alicia : Non, ici aussi il y a un changement. La présentation est reportée à 13 heures.

Hélène : Ce n'est pas un très bon horaire pour une présentation... Bon, je note.

Alicia : L'après-midi, vous avez rendez-vous avec madame Dévals à 16 heures. Et le vendredi, vous faites deux présentations, une le matin à 10 heures et l'autre l'après-midi à 14 h 30. Le soir, à 19 h, vous avez le cocktail sur le stand avec tous les clients et ensuite le dîner.

Hélène : Bien, j'ai tout noté sur mon agenda. Alicia, vous m'envoyez le nouveau planning par mail ?

▶ Leçon 3 – page 34

Le journaliste : Quel est votre rôle ici sur le salon de l'habitat ?

Une hôtesse : Je suis hôtesse d'accueil. Je renseigne les visiteurs, je les oriente. Je distribue des plans du salon.

Le journaliste : Et vous Monsieur ?

Un commercial : Moi, je suis commercial.

Le journaliste : Et que faites-vous exactement?

Le commercial : Je renseigne les visiteurs sur l'activité de notre entreprise, sur nos produits. Je prends des contacts. Quand je peux, je me promène un peu dans les allées du salon. Je regarde ce que propose la concurrence.

Le journaliste : Et vous madame, vous travaillez pour une entreprise ?

Une visiteuse : Non, moi je suis une visiteuse, si je n'avais pas acheté un appartement je ne serais pas là. Je dois aménager mon nouveau logement donc je viens me renseigner, prendre des idées, comparer. Et peut-être trouver un artisan pour faire les travaux !

Transcriptions

Unité 5

▶ Leçon 1 – page 38

Un problème avec votre machine à laver, votre écran de télévision et autres gros électroménagers ? Pas de panique, le service après-vente du BHV MARAIS se charge de tout. Du lundi au vendredi de 8h30 à 17h et le samedi de 9h à 17h, une équipe de professionnels se déplace à votre domicile pour dépanner vos appareils gros électroménagers et votre téléviseur de plus de 55 cm.

Pour les autres appareils aussi… Il suffit de vous rendre au point antenne SAV de la région parisienne, situé au 13-15 rue de la Verrerie, pour un retour en atelier.

LE BHV MARAIS s'engage à respecter les délais : nous intervenons chez le client sous 48 heures, du lundi au samedi, si l'appareil est sous garantie.

Un service après-vente sur mesure et qualitatif que propose LE BHV MARAIS avec des prestations telles que :

• Un dépannage ou remplacement des pièces défectueuses.

• Le prêt d'un appareil de remplacement pendant la durée des réparations, si celles-ci n'excèdent pas huit jours et uniquement pour les appareils de gros électroménagers, les téléviseurs et les téléphones mobiles.

• La possibilité de livraison de l'appareil réparé pour une somme forfaitaire de 25 € TTC.

• Une garantie de la réparation pendant trois à six mois :

- six mois pour un téléviseur ou pour un appareil de gros électroménagers ;

- trois mois pour tout autre appareil.

Pour tout renseignement, contactez le SAV LE BHV MARAIS au 09 77 401 400

▶ Leçon 2 – page 40

Femme : Nous allons, comme chaque semaine faire le bilan, des appels reçus par le centre d'appels du service après-vente ainsi que le bilan des mails reçus sur notre site. Nous ne traitons ici que les plaintes.

Homme : Cette semaine, le nombre d'appels a baissé de 8 % par rapport à la semaine dernière. Nous avons réceptionné 69 appels contre 75 la semaine dernière. Depuis vendredi dernier et jusqu'à ce vendredi, à midi, nous avons reçu 37 mails contre 39 la semaine précédente.

Femme : Est-ce que toutes les réclamations ont été traitées ?

Homme : Oui, sauf pour 6 mails. Nous ne pouvons pas encore donner de réponse satisfaisante aux clients. Nous n'avons pas réussi à identifier le problème. Je dois également appeler un client au téléphone, mais je n'ai pas du tout envie de le faire. J'ai déjà eu un premier contact téléphonique avec ce client et ça ne s'est pas bien passé. Il ne voulait pas m'écouter. J'ai essayé par tous les moyens de lui faire comprendre que j'allais commencer par me renseigner sur l'origine de son problème. Avant de raccrocher, il a dit « Je vais parler de vous sur les réseaux sociaux ! ».

Femme : Je comprends, mais il faut le rappeler très rapidement, au contraire. On ne peut pas laisser la situation ainsi.

Homme : Oui, oui… mais je ne sais pas comment je vais faire.

Femme : Il faut avant tout garder son calme. Vous lui direz, très calmement que vous comprenez son mécontentement. Il doit avoir l'impression que vous vous mettez à sa place. Et c'est d'ailleurs ce que vous devez faire ! Expliquez-lui que nous sommes sur son dossier, et que nous allons lui apporter une solution au plus tard sous 48 heures. Donnez-lui aussi votre nom, qu'il sente qu'il a une personne au téléphone et pas une machine.

Homme : Bon, bon, je vais le faire. Je vais noter d'abord quelques mots clés. Ça m'aidera.

Femme : Oui, et marquez aussi les mots que vous ne devez surtout pas dire !

▶ Leçon 3 – page 42

Le programme « Amazon Premium » ne propose désormais plus la livraison offerte uniquement à ses membres mais aussi à leur entourage ! Amis, famille… : chaque adhérent peut faire bénéficier deux personnes de ses avantages de livraison. Une très bonne initiative puisqu'elle touche le client-membre, son entourage et aussi Amazon qui peut élargir le réseau de bénéficiaires des avantages Premium par ce mode « découverte ».

Offrir un avantage non seulement à ses membres mais aussi à leurs proches est un mode de fidélisation des clients encore peu exploité. Il gagne à se développer. Certaines compagnies aériennes ont déjà fait le pas avec un billet offert pour ne plus voyager seul !

Unité 6

▶ Leçon 1 – page 46

Journaliste : Quand on parle qualité de vie au travail, on entend stress, harcèlement, violence… Mais qu'entend-on lorsqu'on aborde la qualité de vie au bureau ? Organisation des espaces de bureaux ? Aménagement ? Vous êtes chercheur et vous avez fait un vaste travail sur la qualité de vie au bureau.

Chercheur : Jusqu'à présent, aucune étude sur la qualité de vie au travail ne s'était intéressée uniquement aux personnes qui travaillent dans des bureaux. Nous sommes partis d'une question en apparence simple : « L'organisation des espaces de bureaux et leurs aménagements ont-ils un impact sur le bien-être au travail ? »

Journaliste : La qualité de vie au bureau, qu'est-ce que c'est alors ?

Chercheur : Pour un salarié, le sentiment de bien-être au travail va de pair avec sa motivation et son efficacité.

Journaliste : La qualité de vie au bureau, est-ce la fin de l'*open space* ?

Chercheur : Les *open space* sont très à la mode. Et la qualité de vie au bureau est compatible avec le concept d'*open space*. Mais attention il faut des *open space* « intelligents », c'est-à-dire bien conçus.

▶ Leçon 2 – page 48

Bienvenue à cette journée de formation intitulée « Utiliser des cartes heuristiques en management de projet ». Tout d'abord, qu'est-ce qu'une carte heuristique ? La carte heuristique, *mindmap* en anglais, est une représentation d'une idée sous la forme d'une carte avec des arborescences. La carte heuristique est très pratique parce qu'elle peut être enrichie au fil du temps. Avec cette formation, je souhaite vous donner des points de repère sur les apports les plus courants des cartes heuristiques. On peut utiliser les cartes heuristiques pour mieux s'organiser, être plus performant. On peut aussi utiliser les cartes heuristiques pour travailler en équipe sur un projet. La carte heuristique est donc un outil que l'on peut utiliser de manière collective ou individuelle.

▶ Leçon 3 – page 50

Femme 1 : Pouvez-vous nous parler du métier de conseiller en fusions-acquisitions ?

Femme 2 : Le conseiller en fusion-acquisition peut exercer dans une banque d'investissement ou dans une société de conseil. C'est un technicien de la finance. Il doit posséder une excellente culture financière et économique. Il doit maîtriser les outils d'analyses, les schémas comptables et financiers. Il doit également connaître le droit des fusions et des acquisitions. Le conseiller doit être disponible. Sur des dossiers importants ou difficiles, il doit parfois travailler le week-end et même la nuit. Il doit aussi avoir une bonne résistance au stress.

Femme 1 : C'est un métier difficile !

Femme 2 : C'est un métier exigeant mais passionnant ! Et la rémunération est intéressante.

Unité 7

▶ Leçon 1 – page 54

Employé : Compagnie Air France bonjour.

Client : Bonjour Monsieur, j'ai un billet pour Munich la semaine prochaine et je voudrais le modifier. C'est possible ?

Employé : J'ai besoin de votre numéro de dossier, s'il vous plaît.

Client : C'est le DF 030877.

Employé : Vous avez un aller-retour Paris-Munich, en vol direct, départ le 28 novembre à 10 h 35, retour le 31 novembre à 20 h 55, en classe économique.

Client : C'est exact, je voudrais modifier l'horaire de l'aller et partir l'après-midi.

Employé : Attendez, je regarde les vols pour l'après-midi à la même date. Il me reste des places sur le vol de 13 h 20, mais c'est un vol avec escale.

Client : Ah c'est embêtant, il n'y a pas de vol direct l'après-midi ?

Employé : Attendez, je fais une nouvelle recherche. J'ai une place en vol direct mais à 17 h 40.

Client : C'est un peu tard, mais je vais prendre ce vol quand même. À quelle heure est l'arrivée ?

Employé : Arrivée à Munich à 19 h 05, monsieur.

Client : D'accord. Et est-ce que je dois payer un supplément pour le changement ?

Employé : Non monsieur, c'est compris dans votre billet, il n'y a pas de supplément si vous modifiez votre réservation avant la veille du départ.

Client : Très bien.

Employé : Je vous mets donc sur ce vol. Départ à 17 h 40, arrivée à 19 h 05 à Munich. Je vous envoie votre réservation modifiée par mail.

Client : Je vous remercie monsieur, au revoir.

Employé : Au revoir monsieur.

▶ Leçon 2 – page 56

Catherine, c'est Maxime, je suis bloqué à Lyon. Il y a eu un problème sur la voie entre Lyon et Montpellier et les trains ne partent plus. Le trafic est arrêté. Ils ne savent pas quand la circulation sera rétablie. Je vais voir si je peux louer une voiture pour arriver à l'heure à la réunion, mais ce n'est pas sûr du tout. Je préviens Jacques aussi. Je vous tiens au courant dès que j'ai plus d'informations.

▶ Leçon 3 – page 58

Pierre : Alors Vanessa, cette mission en Belgique ?

Vanessa : Très intéressante. J'ai passé 3 jours à Bruxelles et une journée à Mons. Au retour, je me suis arrêtée à Lille pour la journée.

Pierre : Vous avez rencontré les clients de chez RDHI ?

Vanessa : Oui, nous nous sommes rencontrés au salon de Bruxelles. Ils semblent vraiment satisfaits de notre collaboration. Nous allons certainement renforcer le partenariat. Nous devons nous revoir dans un mois.

Pierre : Parfait, parfait.

Vanessa : J'ai pris beaucoup de contacts. Deux ou trois me paraissent vraiment intéressants. Je vais les recontacter rapidement.

Pierre : Et à Mons, vous deviez voir notre nouveau fournisseur, c'est bien ça?

Vanessa : Oui. J'ai eu une très bonne impression, mais...

Pierre : Mais ?

Vanessa : La négociation ne va pas être facile. Monsieur Andries est très habile.

Pierre : Ah !

Vanessa : Mais en même temps, il a vraiment envie de travailler avec nous. Il faut être patient, mais je pense que nous trouverons un accord satisfaisant. Monsieur Andries est prêt à venir nous rencontrer au siège.

Pierre : Très bien.

Vanessa : Je fais un compte-rendu détaillé et je vous l'envoie.

Pierre : Et on en reparle ensuite.

Unité 8

▶ Leçon 1 – page 62

En 2010, la ville de Paris a lancé un appel d'offres pour le partage de voitures électriques. 6 candidats ont proposé une offre. Nous avons retenu trois dossiers. Finalement, c'est le groupe Bolloré que nous avons choisi. Sa Bluecar est une voiture électrique de quatre places, dont la batterie à une autonomie de 4 heures, pour 250 km en milieu urbain. 3 000 voitures sont en service. Les abonnés payent un abonnement annuel et, ensuite, le tarif est de 12 euros l'heure et 5 euros la demi-heure. Le groupe a investi 60 millions d'euros dans ce projet. 800 agents sont sur le terrain pour promouvoir et organiser le service

▶ Leçon 2 – page 64

Aujourd'hui, il y a encore beaucoup d'inégalités dans certaines régions entre ceux qui ont accès à un véhicule et les autres. Le constructeur automobile français Renault a donc choisi de financer et d'encadrer des projets locaux et internationaux afin de réduire ces inégalités. Au niveau régional, Renault a des partenariats avec des associations pour permettre un accès simplifié à la mobilité. Par exemple, Renault donne des aides pour passer le permis de conduire. Renault prête des voitures à des personnes qui ont besoin d'un véhicule pour obtenir un travail. Et aussi Renault explique aux conducteurs comment réduire la consommation de carburant et les gaz à effet de serre. Enfin, Renault encourage le covoiturage entre ses salariés grâce à un service interne à l'entreprise.

▶ Leçon 3 – page 66

Femme 1 : UFC Que choisir, bonjour.

Cliente : Bonjour madame, j'ai beaucoup de problèmes avec mon opérateur téléphonique. Je ne sais plus quoi faire.

Femme 1 : Quel est votre problème ?

Cliente : Je veux résilier mon abonnement de téléphone portable. J'ai fait la demande il y a trois mois. Et rien ! Je continue à payer et ma ligne n'est pas coupée. J'ai appelé plusieurs fois, mais ça n'a servi à rien.

Femme 1 : Depuis combien de temps êtes-vous cliente chez cet opérateur ?

Cliente : Depuis plus de 3 ans, 40 mois exactement.

Femme 1 : Qu'avez-vous fait exactement pour résilier votre contrat ?

Cliente : J'ai téléphoné au service clients. Là, on m'a dit d'envoyer une lettre recommandée avec accusé de réception. C'est ce que j'ai fait. J'ai reçu l'accusé de réception.

Femme 1 : Vous êtes sûre de ne plus avoir d'engagement avec cet opérateur ? Vous n'avez pas changé de téléphone récemment ?

Cliente : Non, je n'ai pas changé de téléphone. Je n'ai aucune obligation de rester client chez cet opérateur.

Femme 1 : Très bien, pouvez-vous passer nous voir à l'association dans la semaine, l'après-midi, avec votre contrat ?

Cliente : D'accord, je passerai dès demain alors.

Unité 9

▶ Leçon 1 – page 70

Pas besoin d'un tableau de bord d'Airbus A380 pour piloter votre entreprise. Il suffit d'un tableur Excel et de quelques indicateurs. L'indicateur le plus important est le chiffre d'affaires bien sûr ! Le chiffre d'affaires donne beaucoup d'informations sur l'activité d'une entreprise. Il permet, par exemple, des comparaisons avec la concurrence. Le chiffre d'affaires permet aussi de se situer dans son secteur.

Surtout, vous avez intérêt à surveiller tous les chiffres de votre entreprise très régulièrement. Des bilans trimestriels permettent de prendre les bonnes mesures au bon moment !

▶ Leçon 2 – page 72

Journaliste homme : Nous accueillons aujourd'hui un expert en économie pour parler des agences de notation. De quoi s'agit-il ?

Expert femme : Les agences de notation ont pour tâche d'évaluer en toute indépendance le risque de faillite ou de non remboursement de différents acteurs économiques. Elles informent les investisseurs des risques qu'il y a à prêter de l'argent à certaines sociétés ou à certains États. Elles donnent des notes qui vont du triple A au triple C. Le triple A est la meilleure note.

Journaliste homme : Comment ces notes sont-elles attribuées ?

Expert femme : Des experts analysent soigneusement les données économiques, les chiffres. Ensuite, les experts décident ensemble la note. Ces notes sont seulement une opinion des experts.

Journaliste homme : Mais, elles ont un impact important.

Expert femme : Oui, c'est vrai. Ces notes ont pris beaucoup d'importance avec la crise.

Journaliste homme : Pour finir, pouvez-vous nous rappeler le nom de ces agences de notation ?

Expert femme : Il y a trois agences de notation : Standard & Poor's, Moody's et Fitch.

▶ Leçon 3 – page 74

Face à la crise, tous les moyens sont bons pour réaliser des économies. Et parfois cela a des conséquences inattendues sur notre quotidien.

En France, les pizzas rétrécissent ! Selon une étude réalisée auprès de 110 pizzerias, les pizzas ont diminué de taille en 2012, passant de 32 à 31,3 centimètres de diamètre... En revanche, le prix des pizzas est en hausse. En 2011, il était en moyenne de 9,70 euros. En 2012, il est passé à 10,40 euros.

À Mulhouse, la température de la piscine a baissé d'un degré ! Les aides de l'État sont en baisses. Il faut donc faire des économies. En baissant la température de l'eau des piscines d'un degré, la ville de Mulhouse réalise une économie de 240 000 euros.

D'après une étude sérieuse réalisée par des chercheurs en économie, les femmes mettent plus de rouge à lèvres. Les cosmétiques sont un des secteurs épargnés par la crise. Certains prétendent que les femmes cherchent ainsi à attirer des hommes riches !

Unité 10

▶ Leçon 1 – page 78

Homme 1 : En faisant mon bilan de compétences, je voulais analyser mon expérience et faire le point sur mes motivations. Je voulais lister mes compétences. Mon but était de trouver de nouvelles pistes professionnelles. Ça m'a bien aidé pour refaire mon CV.

Femme 1 : Mon bilan de compétences ? C'était la première fois que j'avais l'occasion de faire un point sur ma carrière. J'ai trouvé intéressant de parler de mon parcours et de mes compétences avec quelqu'un qui ne me connaissait pas.

Homme 2 : Mon bilan de compétences a été une expérience très positive. Maintenant, ce qui me manque, ce sont des simulations d'entretien d'embauches.

Femme 2 : J'ai fait un bilan de compétences, il y a deux ans. Dès le premier entretien, j'ai compris que je voulais changer de secteur ! Les échanges avec mon conseiller ont été très instructifs. J'ai découvert que j'étais créative. Maintenant, j'ai un projet professionnel dans le domaine de la mode. Dans sa carrière, il y a des moments où il faut prendre du recul.

▶ Leçon 2 – page 80

Le concept « cashmob » est né à l'initiative d'un bloggeur américain désespéré de voir les clients abandonner le caviste de son quartier au profit des grandes surfaces. À l'été 2011, il lance un appel sur son site « à tous ceux qui ont quelques dollars à dépenser et veulent sauver le commerce local ». Consigne est donnée de se retrouver chez le caviste et d'y acheter une bouteille ou deux pour relancer les affaires. Une centaine de personnes répondent, une centaine de bouteilles de vin sont vendues. Mission accomplie. Aujourd'hui, le phénomène « cash mob » a largement dépassé les États-Unis. Récemment, un libraire canadien de l'Ontario a assisté au déferlement d'une cinquantaine de clients venus dépenser au moins 15 euros dans sa boutique. En deux heures, il avait réalisé son chiffre d'affaires quotidien !

D'après www.business.lesechos.fr

▶ Leçon 3 – page 82

Homme : Yaël, votre entreprise Gourmandise and Co, c'est un traiteur pas comme les autres... Racontez-nous votre histoire.

Yaël : Et bien quand j'étais directrice marketing, j'invitais des amis à tester, lors de brunchs mémorables, mes dernières recettes. La cuisine, c'est ma passion et la gourmandise mon défaut ! C'est donc tout naturellement qu'avec Didier, mon ami d'enfance, j'ai décidé en début d'année de changer de vie et de créer Gourmandise and Co.

Homme : Quel est le rôle de chacun ?

Yaël : Je dois dire que les rôles dans notre cas sont bien répartis : la cuisine créative, c'est pour moi, le développement, c'est pour Didier.

Homme : Comment a commencé votre aventure ?

Yaël : L'histoire commence par le producteur de Céline Dion qui nous demande de prendre en charge le cocktail d'un concert à Paris. Puis quelques jours avant l'ouverture de notre première « boutique-atelier », nous sommes contactés par Facebook pour l'organisation d'un évènement. TF1 nous choisit tout naturellement pour illustrer leur reportage sur les nouveaux entrepreneurs via les réseaux sociaux. Gourmandise and Co par l'originalité de ses propositions et la qualité de ses produits « faits maison », remporte la mise à chaque fois. Il faut avouer que nos cupcakes sont délicieux, vraiment. Disons que pour nous, la Gourmandise n'est plus un vilain défaut...

D'après www.justinteresting.com

DELF Pro

▶ Exercice 1

La fabrique de biscuits Jeannette, installée à Caen depuis 1850, a été liquidée en décembre 2013. Peu après, toute la production de madeleines, gâteaux et biscuits de tradition a été arrêtée et les trente-sept salariés ont été licenciés. Nous sommes en février 2014. L'usine n'a plus d'activité depuis décembre. Mais que sont devenus les 37 employés ? Et bien ils ont décidé d'occuper les locaux, et il semblerait que cela puisse porter ses fruits. Le 16 février, ils ont découvert sur Internet que les machines étaient mises en vente. Furieux, ils ont décidé de relancer la production. Ils ont remis les machines en marche. Résultat : le 27 février, ils arrivent sur le marché de Saint-Sauveur de Caen avec plus de trois milles sachets de madeleines qu'ils offrent gratuitement. Les délicieuses madeleines ont eu du succès !

Déterminés, les salariés de Jeannette attendent un repreneur. Et aujourd'hui, les nouvelles sont plutôt encourageantes : deux repreneurs potentiels vont visiter l'entreprise cette semaine. Ils devraient chacun déposer un dossier solide.

Il ne fait aucun doute que la mobilisation de ces salariés a attiré l'attention des médias nationaux mais aussi celle des repreneurs. Les réseaux sociaux ont largement diffusé l'information, et ils continuent de se mobiliser. Rien n'est encore sûr... Vendredi dernier, les employés ont formé une chaîne autour de leur entreprise. Ils ont empêché les agents du Gaz Réseau distribution de fermer l'arrivée de gaz. La question reste en suspens : les « Jeannette » vont-ils réussir à sauver leur emploi ?

D'après www.liberation.fr

▶ Exercice 2

Femme 1 : La réunion d'aujourd'hui a pour but de fixer le prix de notre nouveau produit, les lunettes à montures interchangeables. Comme vous savez, on ne peut pas se permettre actuellement des prix élevés. Le consommateur ne suivrait pas.

Femme 2 : Oui, il faut proposer un juste prix qui soit suffisamment attractif pour vendre.

Homme : Et qui dégage un bénéfice !

Femme 1 : Oui bien sûr. Reprenons les trois points importants avant de déterminer le prix des *Luniclick*. Combien nous coûte, en brut, une paire de lunettes ? Combien les vend la concurrence ? Et combien de marge on veut faire sur chaque paire ? Que je sache, la concurrence n'a pas de produit similaire. On va donc prendre comme référence les lunettes couleur fluo de notre principal concurrent, celles qui sont signées par l'enseigne des magasins de mode.

Homme : Moi je suis d'avis de sortir notre produit avec un prix de lancement attractif et accrocheur. Il faut faire une grosse campagne

de pub, mais c'est le prix qui va séduire le consommateur. Vue la situation actuelle, on doit se fixer des marges plus petites au début. Dans un deuxième temps, on pourra monter un tout petit peu le prix. Qu'est-ce que vous en pensez ?

Femme 1 : C'est une stratégie à prendre en compte. Mais attention ! Nous ne sommes pas une entreprise nouvelle qui doit se faire une place sur le marché. Au contraire, nous sommes bien établis. Nous avons une image à défendre. Lancer *Luniclick* à un prix trop bas n'est pas forcément une bonne idée. Le consommateur risque de croire que nous proposons un produit bas de gamme. Or, si l'on veut conserver notre clientèle, nous ne devons pas baisser nos prix de manière excessive.

Diplôme de la chambre de commerce

▶ Exercice 1

Le patron d'Iliad, Xavier Niel, a assuré qu'il aurait besoin de recruter un millier de personnes s'il rachetait le réseau mobile de Bouygues Telecom à l'issue de sa fusion avec SFR, l'opérateur de télécommunications français. Pour réduire le risque de blocage de l'achat de SFR par les autorités de la concurrence, Bouygues a passé un accord avec Free Mobile pour lui céder son réseau et ses fréquences. Avec cette acquisition, « notre réseau sera quasiment équivalent à celui de nos concurrents. L'objectif pour le marché et notamment le régulateur des télécoms, c'est d'avoir un bon équilibre entre les opérateurs. Ce sera le cas », a assuré Xavier Niel. Et il ajoute, « pour entretenir et maintenir au meilleur niveau notre nouveau réseau, il faudra que nous recrutions massivement. On pourrait augmenter nos effectifs de près de 1 000 personnes ».

Et si Vivendi, maison mère de SFR préférait plutôt l'offre de Numericable « Free sortira plus fort également », selon Xavier Niel. [...]

Demain, le groupe Vivendi réunit son comité d'administration pour décider du sort de son opérateur SFR. Entre le groupe Bouygues et le câblo-opérateur Numericable, qui va l'emporter ? Quel sera le paysage des télécoms demain ?

D'après www.liberation.fr

▶ Exercice 2

Homme : Audrey Puccini, bonjour. Vous êtes chef de projet évènementiel chez *3+Médias*. En quoi consiste exactement votre travail ?

Audrey Puccini : Bonjour. Et bien j'organise des réceptions, des séminaires d'entreprises, mais aussi des conventions, des assemblées, des inaugurations... En fait, il y a beaucoup plus d'occasions qu'on ne croit de faire appel à une chef de projet évènementiel. Donc si je devais résumer en quelques mots mon travail, je dirais que j'imagine et j'organise un évènement, de A à Z.

Homme : Comment procédez-vous ?

Audrey Puccini : Alors, je commence par recevoir le client et nous planifions ensemble l'évènement. J'essaie de m'adapter au mieux à leur demande. J'essaie aussi de mettre en place des nouveautés, des éléments originaux qui fassent que l'évènement soit unique, et que les assistants s'en souviennent... en bien, bien sûr ! J'essaie d'innover, mais je dois toujours tenir compte de l'entreprise elle-même. Quelle est la culture de l'entreprise ? Quelle image veut-elle donner ?

Homme : Bien. Et une fois que vous avez rencontré le client ?

Audrey Puccini : Une fois que j'ai établi un cahier des charges avec le client, je fais une proposition compatible avec son budget. Ensuite, nous définissons le calendrier avec des réunions de préparation et de suivi. Je suis constamment en contact avec le client. Je vérifie en permanence que mon travail correspond à ses attentes. Le client doit être entièrement satisfait.

Homme : Donc vous sollicitez souvent votre client pendant la préparation de l'évènement ?

Audrey Puccini : Oui et non. J'essaie de le solliciter le moins possible. Je le sollicite seulement s'il y a des points à retravailler ou des ajustements importants à faire. Je suis là pour superviser toutes les étapes et tous les intervenants, et ils sont nombreux !

Homme : Et généralement vous assistez aux évènements ?

Audrey Puccini : Bien entendu ! Le jour J est d'ailleurs le plus dur pour moi. Il y a toujours un imprévu. Et là, c'est à moi de trouver la solution sans que personne ne s'aperçoive de rien.

Homme : Quelles autres qualités faut-il avoir, d'après vous, pour exercer votre métier ?

Audrey Puccini : Il faut savoir être calme, posé dans toutes les situations. Il faut être créatif, mais il faut aussi savoir animer une équipe et coordonner tout le monde. Le relationnel est très important. Le sens de l'organisation est indispensable.

Corrigés

UNITÉ 1

▶ Leçon 1 (pages 6-7)

Exercice 1

a. Avant de commercialiser son produit, l'entreprise a étudié la concurrence.

b. Le produit est moins cher qu'avant et très fiable.

c. Les nouveaux clients de l'entreprise sont les particuliers.

d. L'entreprise a touché plus de public grâce aux réseaux sociaux.

e. L'entreprise a développé sa communication sur Internet.

f. Internet et les réseaux sociaux avaient une grande influence sur les ventes.

Exercice 2

a/4 – b/3 – c/2 – d/1

Exercice 3

```
        C  I  B  L  E
              E
   S        O  N  É  R  E  U  X
   É        C
   M        H
   I     S  T  I  M  U  L  E  R
   N        A
   A  M  É  L  I  O  R  A  T  I  O  N  S
   I        N
C  E  R  N  E  R
   E
```

Exercice 4

a. Le séminaire de Paris a réuni moins de personnes que le séminaire de Munich.

b. Le nouveau sèche-cheveux a plus de vitesses que l'ancien sèche-cheveux.

c. Notre entreprise travaille avec moins de monde que votre entreprise.

d. Les clients sont aussi satisfaits cette année que l'année dernière.

Exercice 5

a. a apportées – **b.** a demandé / a permis – **c.** s'est renforcée – **d.** avons vendus – **e.** ont faites / ont favorisé – **f.** avez eu

Exercice 6

a. Faux – **b.** Faux – **c.** Vrai – **d.** Faux – **e.** Vrai – **f.** Faux – **g.** Vrai

▶ Leçon 2 (pages 8-9)

Exercice 1

a. Les actions à mettre en place pour augmenter le chiffre d'affaires.

b. Faire une campagne promotionnelle. – Faire du placement de produit. – Développer la publicité. – Mettre à jour le site Internet. – Faire un benchmark.

c. Embaucher un nouveau stagiaire.

d. Faire un benchmark.

e. Parce que c'est facile à mettre en œuvre.

Exercice 2

a. un plan d'action – **b.** les caractéristiques – **c.** fidéliser – **d.** lancement – **e.** une enquête

Exercice 3

PLAN D'ACTION 2016						
Objectifs	Actions	Calendrier			Budget	
		Court terme	Moyen terme	Long terme	Dépenses	Recettes
Générer un **chiffre d'affaires** de 400 000 euros	▶ **Cibler** un plus grand nombre de clients.		X		40 000	120 000
	▶ **Embaucher** un nouveau commercial.	X			30 000	100 000
	▶ **Placer** nos produits à la télévision.	X			50 000	180 000

Exercice 4

a. Le département des ressources humaines recrutera un nouveau commercial.

b. Les employés du service marketing lanceront une nouvelle campagne publicitaire.

c. Nous serons en séminaire pendant trois tours.

d. Vous prendrez l'avion pour assister au séminaire la semaine prochaine.

e. Les équipes mettront en place une nouvelle stratégie.

f. Le plan d'action définira les objectifs à atteindre.

Exercice 5

- Produit : phrase d
- Prix : phrase b
- Promotion : phrase c
- Placement : phrase a

Exercice 6

Réponse libre

▶ Leçon 3 (pages 10-11)

Exercice 1

a. Le séminaire a lieu en Savoie

b. Il va durer 3 jours.

c. ▶ Départ : 8 h 50

▶ Activité de la matinée : discours et présentation du programme

▶ 14 h 30 : ateliers

d. Maud animera un atelier sur les opérations marketing.

e. Gladys présentera les résultats du benchmark, le dernier jour du séminaire.

f. Rafting et cours de cuisine.

Exercice 2

S	I	O	D	S	I	A	T	A
O	C	T	I	F	D	R	E	T
U	H	A	S	E	V	K	N	E
D	S	O	C	M	I	U	J	L
E	T	Q	O	T	S	F	E	I
R	I	L	U	D	I	Q	U	E
S	P	S	T	A	N	D	S	R
E	H	Q	M	E	C	I	V	P
D	I	S	C	O	U	R	S	A

Exercice 3

a. soudée – **b.** atelier – **c.** ludique – **d.** stand – **e.** discours

Exercice 4

a. 1/d – 2/b – 3/a – 4/c

b. **D'abord**, nous avons choisi une date stratégique pour réunir le personnel dans un endroit calme, loin de la ville. **Puis**, nous nous sommes retrouvés pendant 3 jours. **Ensuite**, on nous a présenté les résultats du benchmark réalisé en début d'année et nous avons travaillé sur les résultats. **Enfin**, des ateliers de travail, des conférences, des activités ludiques ont permis au personnel de travailler dans une ambiance agréable et de repartir sur de nouvelles bases pour le lancement de la nouvelle voiture électrique.

Exercice 5

a. Vrai (« motiver les troupes ») – **b.** Faux (« détente, visite et *farniente* côtoient réunions de travail ») – **c.** Faux (« tous ne se ressemblent pas ») – **d.** Vrai (« l'ambiance y est détendue ») – **e.** Faux (« il n'y a plus de hiérarchie ») – **f.** Faux (« Vincent participe chaque année »)

Exercice 6

a. 11 – **b.** 8 – **c.** 11 – **d.** 10

▶ **Test** (page 12)

Exercice 1

a. des améliorations – **b.** sa cohésion – **c.** les consommateurs – **d.** ludique – **e.** placement – **f.** primordial

Exercice 2

a. L'entreprise embauchera – **b.** La campagne publicitaire permettra – **c.** Les dépenses seront – **d.** Vous verrez – **e.** Le chiffre d'affaires que ces actions génèreront atteindra

Exercice 3

a. faites – **b.** doublé – **c.** données – **d.** prise

Exercice 4

a. Vrai – **b.** Vrai – **c.** Vrai – **d.** Faux

Exercice 5

a. Vrai – **b.** Vrai – **c.** Faux – **d.** Faux – **e.** Vrai – **f.** Faux

UNITÉ 2

▶ **Leçon 1** (pages 14-15)

Exercice 1

a. l'aéroport d'arrivée, l'horaire, la compagnie aérienne, la date, les taxes

b. la période de l'année / les jours de la semaine / l'horaire

c. Si le voyageur choisit un vol tôt le matin, il paye moins cher que s'il voyage en milieu de matinée.

Si le voyageur voyage en milieu de matinée, le tarif est moins intéressant que s'il voyage tôt le matin.

d. plus chers

En haute saison, les prix sont plus chers parce que les compagnies aériennes n'ont aucun mal à remplir les avions vers certaines destinations.

e. Oui, les compagnies aériennes ont le droit de modifier les prix comme elles le souhaitent en fonction de la demande.

f. Lorsque la demande est faible, les prix sont plus avantageux car la compagnie a tout intérêt à remplir ses appareils.

Exercice 2

a. une liquidation – **b.** les soldes – **c.** Le prix de vente.

Exercice 3

a. autoriser – **b.** le prix de vente – **c.** la réputation

Exercice 4

Il se forme sur le radical du **futur simple**. On ajoute les terminaisons de l'**imparfait** : *-ais, -ais, -ait, -ions, -iez, -aient*.

Exercice 5

• Pouvoir : je pourrais – tu pourrais –il/elle/on pourrait – nous pourrions – vous pourriez – ils/elles pourraient

• Être : je serais – tu serais – il/elle/on serait – nous serions – vous seriez – ils/elles seraient.

• Avoir : j'aurais – tu aurais – il/elle/on aurait – nous aurions – vous auriez – ils/elles auraient

• Vouloir : je voudrais – tu voudrais – il/elle/on voudrait – nous voudrions – vous voudriez – ils/elles voudraient.

• Savoir : je saurais – tu saurais – il/elle/on saurait – nous saurions – vous sauriez – ils/elles sauraient.

Exercice 6

Réponses libres (exemples de réponses possibles)

a. Je revendrais à perte si je fixais le prix de vente plus bas que le prix de revient.

b. Nous ne respecterions pas la loi si nous revendions à perte.

c. Si tu n'avais pas oublié d'inclure les taxes, notre marge serait plus élevée.

d. Ils fixeraient les prix librement si la loi les autorisait à le faire.

e. Si la préfecture donnait son accord, nous organiserions une liquidation la semaine prochaine.

Exercice 7
• Prix de vente : a ; d ; e
• Prix de revient : h
• Prix psychologique : b ; f
• Prix promotion : c ; g

▶ Leçon 2 (pages 16-17)

Exercice 1
a. Florent Farel vient de lancer un projet de livraison de paniers bio aux entreprises. Il travaille avec des agriculteurs de produits bio.

b. On passe commande sur Internet.

c. C'est un canal court parce que Florent Farel est le seul intermédiaire entre les agriculteurs et les consommateurs.

d. Les consommateurs, les agriculteurs et Florent Farel.

e. Ils sont satisfaits parce qu'ils n'ont plus besoin de se déplacer pour aller au marché ; parce qu'ils ont des produits frais et bio ; parce qu'ils travaillent beaucoup et donc gagnent du temps en se faisant livrer au travail.

Exercice 2
distribution – canal – intermédiaire – producteur – consommateur – court – grossiste – grande distribution – détaillant – centrale d'achat

Exercice 3
a/4 – b/2 – c/1 – d/3

Exercice 4
• Faux ≠ vrai ➤ vraiment
• Dur ≠ facile ➤ facilement
• Gentil ≠ méchant ➤ méchamment
• Lent ≠ rapide ➤ rapidement
• Inhabituel ≠ habituel ➤ habituellement
• Mal poli ≠ poli ➤ poliment
• Collectif ≠ seul ➤ seulement

Exercice 5
a.

A	B	V	E	S	E	V	L
V	I	X	V	R	A	I	M
T	S	O	P	N	X	O	T
O	E	F	A	C	I	L	E
H	U	N	I	Q	U	E	G
B	L	T	M	P	Y	N	E
C	O	U	R	A	N	T	B

b. vrai ➤ vraiment – facile ➤ facilement – unique ➤ uniquement – courant ➤ couramment – seul ➤ seulement – lent ➤ lentement

Exercice 6
a. On gagne du temps ; c'est pratique ; on a seulement besoin d'être présent pour la livraison.

b. On ne voit pas bien les nouveaux produits et les produits frais ; on achète toujours la même chose ; on ne peut pas choisir ses légumes avant de les acheter.

c. Fabrice et Emmanuelle n'aiment pas faire leurs courses en ligne. Marie aime faire ses courses en ligne.

▶ Leçon 3 (pages 18-19)

Exercice 1
a. Monsieur Mathieu téléphone à Transport Plus pour avoir des informations sur leur service de fret.

b. L'entreprise de monsieur Mathieu vend des produits pharmaceutiques.

c. Il veut connaître les délais de livraison et les tarifs pour le Costa Rica.

d. Madame Feliciano propose à monsieur Mathieu de lui passer monsieur Sati parce que c'est lui qui s'occupe de cette zone.

Exercice 2
a. marchandise – **b.** délai – **c.** drone – **d.** engin – **e.** entrepôt

Exercice 3

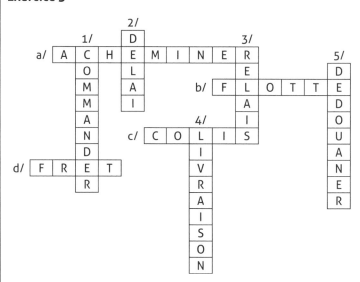

Exercice 4
a. pendant – **b.** en – **c.** dans – **d.** il y a – e. pendant

Exercice 5
a. Faux. Frais de traitement et de retrait offerts.

b. Faux. Retrait 48 h à 72 heures après l'expédition.

c. Faux. Vous avez 10 jours / 15 jours pour aller retirer votre colis.

d. Faux. Payez tout ou une partie de votre commande en ligne et le solde en magasin.

e. Faux. Livraison offerte à partir de 20 euros d'achats sinon frais de 5 euros.
f. Vrai. Dimanche possible selon les horaires du commerçant.

Exercice 6

a. Il n'y a pas d'intermédi**aire** entre le produc**teur** et le consomma**teur**.
b. Tous les voisins commandent leurs pro**duits** aux pay**sans**.
c. Je suis livré où je **veux** et quand je **veux**.
d. Chronopost vous livre en 24 **heures** les articles non volumi**neux**.

▶ Test (page 20)

Exercice 1

a. coût de revient – **b.** sanctionnée – **c.** court – **d.** flotte – **e.** marge – **f.** point relais

Exercice 2

a/3 – b/ 4 – c/1 – d/ 2

Exercice 3

a. dans – **b.** en – **c.** en – **d.** il y a

Exercice 4

a. commanderais – **b.** serait – **c.** travaillait – **d.** deviendriez

Exercice 5

a. Vrai – **b.** Faux – **c.** Faux – **d.** Faux – **e.** Faux – **f.** Vrai

UNITÉ 3

▶ Leçon 1 (pages 22-23)

Exercice 1

1. a. FEVAD signifie « fédération de e-commerce et de la vente à distance ».
b. Elle représente l'ensemble des acteurs du e-commerce et de la vente à distance.
c. On constate une augmentation des opérations commerciales réalisées sur Internet.
d. Selon les prévisions, en 2014, le chiffre d'affaires sera environ six fois celui de l'année 2011.
e. Les Français ont dépensé 12 milliards d'euros pour les achats en ligne au deuxième semestre 2013.

Exercice 2

a. packaging – **b.** effet à court terme – **c.** goodies – **d.** potentiel – **e.** échantillonnage

Exercice 3

a/2 – b/5 – c/1 – d/3 – e/4

Exercice 4

a. C'est un produit réunissant… – **b.** Les participants restant … – **c.** Tous les clients achetant trois paquets… –

d. Les mots-clés définissant notre nouveau produit…

Exercice 5

a. ayant / auront un cadeau – **b.** figurant / sont écrites en plusieurs langues – **c.** étant / nous évaluerons quel a été son impact – **d.** désirant / peuvent téléphoner à ce numéro.

Exercice 6

a. Doctissimo est un site d'information de santé.
b. Doctissimo va lancer un site de vente en ligne de produits de parapharmacie et de médicaments sans ordonnance, baptisé DoctiPharma.
c. Les internautes pourront demander des conseils en ligne aux pharmaciens.
d. Les consommateurs profiteront à la fois de la sécurité du circuit pharmaceutique et de la souplesse du e-commerce.

▶ Leçon 2 (pages 24-25)

Exercice 1

a. Un expert en marketing est interrogé. Il s'adresse à des étudiants lors d'une séance autour du marketing de rue.
b. L'ancêtre du *street marketing*, c'est l'homme sandwich. On a commencé à utiliser le *street marketing* pour attirer l'attention des jeunes.
c. Les gens croient que c'est un affichage sauvage ou une distribution de prospectus.
d. C'est un moyen qui offre beaucoup de possibilités ; les marques veulent se faire remarquer.
e. Non, c'est une tendance en évolution, qui innove en permanence.
f. Les 3 règles sont : présence éphémère, action rapide, et fort impact visuel

Exercice 2

a. média – **b.** retombées – **c.** community manager – **d.** e-réputation

Exercice 3

une identification / identifier – un prospect / prospecter – une révélation / révéler – la délocalisation / délocaliser – une obtention / obtenir

Exercice 4

a. bonnes – **b.** les meilleurs – **c.** mauvaise – **d.** meilleure – **e.** le pire – **f.** le mieux

Exercice 5

a. … qui travaille le plus rapidement – **b.** … qui les regarde le plus fréquemment – **c.** … qui agit le plus prudemment – **d.** … qui descend le plus rarement

Exercice 6

a. Les actions sont : e-mailing, page Facebook, site dédié, application mobile et journée événement.
b. Dove met en place cet évènement pour la 4ᵉ fois.
c. La nouveauté est un partenariat avec Auchan.

d. Le projet aboutira à l'élection des nouvelles ambassadrices de la marque.

e. Dove profite de la journée de la femme.

▶ Leçon 3 (pages 26-27)

Exercice 1

a. On s'interroge sur l'avenir des vendeurs à cause de l'explosion des nouvelles techniques de vente, des nouveaux supports : une grande partie des ventes est réalisée sur Internet.

b. Ils devront avoir des profils plus complexes avec des compétences en vente et en marketing. Ils devront faire de la veille et analyser le marché.

c. On trouve des vendeurs dans des domaines inattendus : l'art, la culture, l'édition, le spectacle vivant, les associations.

Exercice 2

Une influence : les autres termes désignent des personnes ayant des activités sur les réseaux sociaux.

Exercice 3

a/2 – b/3 – c/4 – d/1

Exercice 4

a. Faux – **b.** Vrai – **c.** Vrai – **d.** Faux – **e.** Vrai

Exercice 5

a. Courage pour la présentation de votre projet !

b. Connexion gratuite.

c. De nombreux prix à gagner sur notre site !

d. Téléchargement de certains dossiers non recommandé (déconseillé).

e. Possibilité de choisir la langue de l'interface

Exercice 6

a. Nos bureaux sont ouverts 24 heures sur 24 et 7 jours sur 7.

b. Vous n'avez pas d'autorisation pour cette connexion.

c. Le document est envoyé.

d. Vous devez obligatoirement introduire un mot de passe.

Exercice 7

a. Les hommes aussi aiment faire du shopping.

b. Les commerçants préfèrent avoir à faire à un homme : ils sont moins regardants sur les prix.

c. Les hommes préfèrent acheter dans les boutiques du centre-ville : elles sont plus spécialisées.

d. Les hommes mettent moins d'une heure à faire leur course.

▶ Test (page 28)

Exercice 1

a. relancer – **b.** fidéliser – **c.** le bouche à oreille – **d.** phare – **e.** viral

Exercice 2

a. VRP – **b.** bloggueuse – **c.** colportage – **d.** créatifs – **e.** délocaliser

Exercice 3

a. Les clients achetant le lot complet auront un chèque-cadeau.

b. C'est un publiciste connaissant tous les secrets de son métier.

c. Le logo figurant sur notre produit doit être changé.

d. Cette campagne promotionnelle ayant donné d'excellents résultats, il faudra la refaire l'année prochaine.

e. L'opération de *street marketing* ayant été un succès, nous organisons bientôt un autre événement.

Exercice 4

a. Faux – **b.** Vrai – **c.** Vrai – **d.** Faux – **e.** Vrai

UNITÉ 4

▶ Leçon 1 (pages 30-31)

Exercice 1

a. Les deux renseignements sont le nom de l'entreprise et la référence.

b. La référence est inscrite sur le formulaire de réservation.

c. C'est : 1427 GRSH 221

d. C'est un stand de 12 mètres carrés, en formule Prestige.

e. Le stand comprend deux écrans plats, une connexion Internet wifi, deux tabourets et un comptoir, des spots et un boîtier électrique.

f. Le deuxième homme doit se rendre à l'accueil pour retirer les quatre badges.

g. le nom et le logo de l'entreprise apparaîtront dans le guide du salon.

Exercice 2

a. 1. un stand – **2.** un comptoir – **3.** un espace détente – **4.** une hôtesse – **5.** un spot

b. Réponses possibles :

• L'hôtesse accueillera les visiteurs sur le stand.

• Un comptoir et des tabourets, des spots pour l'éclairage et la présence dans le guide du salon sont inclus dans le prix.

• L'espace détente se trouve au bout de l'allée centrale.

Exercice 3

a. un comptoir, un tabouret, un catalogue, un écran, un kakémono...

b. une hôtesse, un commercial, un visiteur...

c. faire une présentation, rencontrer des clients potentiels, négocier un contrat...

Exercice 4

a. l'accueil – **b.** la salle de conférence – **c.** l'espace détente – **d.** l'espace restauration

Corrigés

Exercice 5

a. Fais… – **b.** Modifie… – **c.** Prends… – **d.** Finis… –
e. Renseigne-toi… – **f.** Va…

Exercice 6

a. Faux – **b.** Faux – **c.** Faux – **d.** Faux – **e.** Vrai – **f.** Faux

▶ Leçon 2 (pages 32-33)

Exercice 1

a. Alicia est une assistante

b. Hélène va à un salon professionnel.

c.

Mercredi	Arrivée : **9 h 30**
	Déjeuner avec **les responsables de Havidis** à **13 h**
	Rendez-vous client : **15 h**
Jeudi	Présentation : **13 h**
	Rendez-vous Madame Dévals : **16 h**
Vendredi	10 h 00 : **présentation**
	14 h 30 : **présentation**
	19 h 00 : **cocktail + diner**

d. À l'origine, le rendez-vous du mercredi était à 16 h.

e. À l'origine, la présentation du jeudi était à 11 h.

Exercice 2

a. visibilité / générer – **b.** une formation – **c.** jeux-concours / se démarquer – **d.** une participation / gagnante

Exercice 3

une récolte – une variation – une prospection – une amélioration – une animation – une interaction

Exercice 4

a. jamais – **b.** près – **c.** devant – **d.** bientôt – **e.** demain – **f.** dedans – **g.** autour – **h.** toujours – **i.** loin – **j.** partout – **k.** hier – **l.** quelquefois

• Adverbes de temps : a, d, e, h, k, l
• Adverbes de lieu : b, c, f, g, i, j

Exercice 5

a. près / loin – **b.** autour – **c.** aujourd'hui / demain – **d.** toujours / quelquefois / souvent – **e.** souvent / toujours

Exercice 6

a. Elle permet d'améliorer les échanges sur un salon professionnel.

b. Avec le logo de l'entreprise, des couleurs…

c. Non, son écran est quasiment incassable.

d. Innovant / convivial

▶ Leçon 3 (pages 34-35)

Exercice 1

a. Les personnes interrogées sont : une hôtesse d'accueil, un commercial et une visiteuse

b. Elle renseigne les visiteurs, les oriente et distribue des plans du salon.

c. Il renseigne les visiteurs sur l'activité de son entreprise, sur les produits. Il prend des contacts et regarde ce que propose la concurrence.

d. Elle vient d'acheter un nouvel appartement et veut aménager son nouveau logement. Elle vient donc se renseigner, prendre des idées.

e. La dernière personne interrogée est là uniquement pour se renseigner et prendre des idées.

Exercice 2

a/4 – b/2 – c/1 – d/3

Exercice 3

optimiser – emplacement – signalétique – catalogues – patienter – savoir-faire

Exercice 4

a/4 – b/5 – c/1 – d/3 – e/6 – f/2

Exercice 5

• Avant l'ouverture du salon : phrases a, f, h, i.
• Rôle des commerciaux : phrases d, e, j, k
• Rôle des hôtesses : phrases b, c, g

Exercice 6

Production libre.

Exercice 7

a. Je ne vais pa**s a**ssister aux salons de**s e**ntrepreneurs.

b. Vou**s i**rez ensemble voir le**s e**xposants ?

c. Il**s o**nt **a**pprécié le**s i**nterventions de**s a**llemands.

d. Tu vas avoir te**s a**près-midis libres.

▶ Test (page 28)

Exercice 1

a. de la moquette – **b.** une cloison – **c.** deux spots – **d.** balisé

Exercice 2

a. Retrouvez-moi sur le stand à midi.

b. Déjeunons ensemble et parlons de votre proposition.

c. Accueillez les visiteurs et distribuez les flyers.

d. Demande un stand dans l'allée centrale pour être plus visible.

Exercice 3

a/2 – b/3 – c/4 – d/1

Exercice 4

a. trouveront – **b.** orienteraient – **c.** adaptent – **d.** plaçait

Exercice 5

brochures – organisateurs – le stand – générer – une borne-jeu – la concurrence – la négociation – ton compte-rendu

UNITÉ 5

▶ **Leçon 1** (pages 38-39)

Exercice 1

a. Il s'agit d'une publicité à la radio.

b. Les dépanneurs interviennent du lundi au vendredi de 8 h 30 à 17 h et le samedi de 9 h à 17 h.

c. Le SAV BHV Marais s'engage à respecter les délais : ils interviennent chez le client sous 48 heures, si l'appareil est sous garantie.

d. Le SAV offre le dépannage ou le remplacement des pièces défectueuses, le prêt d'un appareil de remplacement pendant la durée des réparations, la livraison de l'appareil réparé pour 25 euros, la garantie de la réparation pendant 3 à 6 mois.

e. On peut obtenir plus de renseignements en téléphonant au service après-vente, au 09 77 401 400.

Exercice 2

conseiller – un robot – communiquer – former – constater – la fidélisation – un traitement

Exercice 3

Le client : faire une réclamation – demander un remboursement – mécontent – être satisfait.

Le SAV : un conseiller après-vente – un logiciel d'analyse sémantique – s'engager à faire une réparation – traiter une plainte – envoyer un dépanneur – apporter satisfaction – fidéliser

Les deux : un manque de considération – une bonne communication – téléphoner

Exercice 4

a. ... mais finalement je n'ai pu lui répondre que ce matin.

b. ... mais en fait il n'a appelé qu'une seule fois.

c. ... mais nous n'avons pu satisfaire que 50 % des plaintes.

d. ... mais nous n'avons été livrés qu'hier.

e. ... en réalité il n'y a qu'une faible partie qui est abîmée.

Exercice 5

a. Il ne nous faut que deux jours pour traiter votre réclamation.

b. Paul pensait avoir besoin de deux jours pour terminer son rapport, mais il n'a mis qu'une matinée à le finir.

c. Aujourd'hui, je n'ai eu que quatre réclamations téléphoniques.

d. Ce logiciel d'analyse sémantique n'est pas très performant, il ne reconnaît que les gros mots.

e. Ce service après-vente ne traite que les réclamations concernant l'électroménager.

Exercice 6

réclamation – commande – référence – reçu – endommagée / abîmée – livriez / envoyiez – remboursiez – se produit – fidèles – une réponse – salutations

▶ **Leçon 2** (pages 40-41)

Exercice 1

a. L'objectif est de faire le bilan des appels et des mails reçus par le service après-vente.

b. Le nombre d'appels a baissé de 8 % (69 appels contre 75 la semaine précédente) ainsi que le nombre de mails reçus (37 mails reçus soit 2 de moins que la semaine précédente).

c. Certains mails sont restés sans réponse parce que l'origine du problème est encore inconnue.

d. Le client s'est montré agressif au téléphone. Il n'a pas voulu écouter les explications données : l'entreprise se renseigne sur son problème et le recontacte ensuite.

e. Il faut appeler le client au plus vite, garder son clame, expliquer que l'on le comprend, lui dire que l'on va trouver une solution avant 48 heures, et s'identifier auprès de lui.

Exercice 2

a/3 – b/1 – c/2 – d/5 – e/4

Exercice 3

clientèle – réputation – satisfaction –- réussite – domaines – impact

Exercice 4

a. Comme les résultats ont été excellents ce trimestre, nous toucherons ne prime.

b. Les erreurs sont fréquentes **parce que** le système informatique n'est pas au point.

c. Les livraisons ont pris du retard **puisque / vu que / étant donné que** les transporteurs nationaux étaient en grève.

d. J'ai répondu à ce client mécontent **puisque / vu que / étant donné que** tu n'étais pas là.

e. Je peux rentrer chez moi **puisque / vu que / étant donné que** j'ai traité toutes les réclamations de la journée.

Exercice 5

a. Comme j'étais en réunion toute la matinée, ...

b. ... vu que le camion est tombé en panne.

c. Étant donné que nous avons eu de mauvais résultats cette année, ...

d. ... puisque le produit que nous avons mis en vente a un défaut de fabrication.

Exercice 6

a. Il s'agit d'un poste de responsable du suivi des clients. Il faut habiter sur l'axe Bordeaux-Périgueux.

b. C'est un contrat à durée indéterminée (CDI), à temps plein.

c. La personne recrutée devra être responsable de la qualité du service après-vente, assurer les visites clientèle, apporter des solutions concrètes et adaptées aux besoins, mettre en place les moyens nécessaires.

d. Ce poste demande de travailler avec les services Qualité, Production, Magasin et Commercial.

e. Pour ce poste, il faut aimer le travail en équipe, avoir des qualités relationnelles, faire preuve d'organisation, de rigueur et d'autonomie, être mobile et disponible, maîtriser l'outil informatique, avoir une excellente rédaction, une formation Bac à Bac + 2 et une expérience professionnel de 2 ans au moins.

▶ Leçon 3 (pages 42-43)

Exercice 1

a. Le programme « Amazon Premium » propose la livraison gratuite à ses membres et à leur entourage, ami ou famille.

b. Amazon élargit le réseau de bénéficiaires des avantages Premium.

c. La tendance chez les compagnies aérienne est d'offrir des avantages au plus grand nombre, par exemple un billet offert pour ne pas voyager seul.

Exercice 2

Titre : satisfaction

1. améliorer – dysfonctionnements – fidéliser – confiance
2. conseils – simples – limiter – remercier
3. services – commercial – facturation
4. évaluation – personnellement – analyse – solutions

Exercice 3

a. est - **b.** obtenions – **c.** se mette – **d.** seras – **e.** trouverez

Exercice 4

a. Je ne crois pas qu'elle vienne.

b. Je ne pense pas qu'il soit satisfait.

c. Je ne trouve pas que ce soit la seule alternative.

d. Je ne suis pas sûr qu'ils répondent tous à cette enquête.

Exercice 5

réalisons / menons – clients – améliorer – assez – suggestions – pièces – enquête – améliorer – répondre

a. Faux – **b.** Vrai – **c.** Vrai

Exercice 6

a. Elle**s** **o**nt mis deu**x** **heures** **à** remplir ce dossier de réclamation.

b. Je veux avoi**r** **un** responsa**ble** **au** téléphone.

c. Mo**n** **a**ssistant m'a dit que vou**s** **a**viez téléphoné quan**d** **on** **é**tait partis.

d. Je le connais : c'e**st** **un** gran**d** **ho**mme.

▶ Test (page 44)

1. a. engagement – **b.** analyse sémantique – **c.** politique commerciale – **d.** dénigrer

2. a. abîmé – **b.** rentable – **c.** se reproduit – **d.** un supplément

3. a. parce que – **b.** vu qu' – **c.** par conséquent – **d.** puisque

4. a. sont – **b.** seront livrés – **c.** puisse – **d.** envoyions

5. a. Vrai – **b.** Vrai – **c.** Faux – **d.** Vrai

UNITÉ 6

▶ Leçon 1 (pages 46-47)

Exercice 1

a. C'est un chercheur qui parle. Il va parler de la qualité de vie au bureau.

b. C'est la première fois qu'une étude porte uniquement sur les personnes qui travaillent dans des bureaux.

c. L'organisation des espaces de bureaux et leurs aménagements ont-ils un impact sur le bien-être au travail ?

d. Oui, mais à la condition que les donneurs d'ordre conçoivent des *open space* « intelligents ».

e. Un « *open space* intelligent », c'est un *open space* bien conçu.

Exercice 2

stresser / le stress / stressant – prévenir / la prévention / préventif – nier / la négation / négatif – adapter / l'adaptation / adapté – angoisser / l'angoisse / angoissant – démotiver / la démotivation / démotivant – sensibiliser / la sensibilisation / sensible

Exercice 3

stressantes – qualité de vie – services – démotivés – efficacité – privilégier – employés – prévention – effets

Exercice 4

a. la démotivation – **b.** l'adaptation – **c.** affirmer – **d.** la mal-être – **e.** agité – **f.** des répercussions positives – **g.** la conséquence

Exercice 5

a. soient – **b.** ailles – **c.** assistes – **d.** souffrais – **e.** remettras

Exercice 6

a. Les jeunes cadres d'avant faisaient du sport ; ceux d'aujourd'hui méditent.

b. La méditation au travail n'est pas prise au sérieux parce qu'on imagine des gens assis en lotus et parce que la méditation a une connotation religieuse.

c. Chade-Meng Tan vient de Singapour et il est ingénieur chez Google. Il a mis en place un atelier de méditation dans l'entreprise et il est l'auteur d'un best-seller *Connectez-vous à vous-même*.

Exercice 7
Réponse libre

▶ Leçon 2 (pages 48-49)

Exercice 1
a. Le thème de la formation est l'utilisation des cartes heuristiques en management de projet.
b. On utilise aussi *mindmap* en anglais.
c. C'est la représentation d'une idée sous la forme d'une carte avec des arborescences.
d. Une carte heuristique sert à mieux s'organiser, à être plus performant. Elle peut aussi servir pour le travail en équipe.

Exercice 2
open space – espaces – employés – télétravail – recruter – résidence – déplacements – frais – contrôler – relations – avantages – employeurs

Exercice 3
• **Travail sur place :** un bouchon sur la route – un déjeuner de travail – une source de stress – un *open space*
• **Télétravail :** un avenant au contrat – l'autonomie – gagner en productivité
• **Les deux :** faire la navette – gestion du temps de travail – les horaires de travail

Exercice 4
cartes mentales – professionnels – l'essentiel – gagner – branches – mots-clés – visualiser – titre – logiciels

Exercice 5
a. le tien – b. la nôtre / la vôtre / la leur – c. le leur – d. le vôtre – e. les nôtres – f. les vôtres

Exercice 6
Réponse libre.

▶ Leçon 3 (pages 50-51)

Exercice 1
a. Il est question du métier de conseiller en fusions-acquisitions.
b. C'est un technicien de la finance, avec une excellente culture financière et économique. Il doit maîtriser les outils d'analyses, les schémas comptables, boursiers et financiers.
c. Il doit connaître les techniques juridiques quant aux acquisitions et fusions. Il doit être disponible et être capable de résister au stress.
d. Il doit faire preuve d'une grande disponibilité, et pouvoir, s'il le faut, travailler le week-end et même la nuit.
e. La rémunération est intéressante.

Exercice 2
un rachat – remanier – une agrégation – licencier – accorder – une indemnisation

Exercice 3
inquiétude – code – inchangés – rachat – emplois – culture – racheté – changements

Exercice 4
a. Alors que rien n'est encore confirmé... – b. ... bien que ces nouvelles conditions ne soient pas encore définies. – c. Quoique nos contrats ne soient pas modifiés... – d. ... même si les négociations ont été houleuses.

Exercice 5
a. ... alors que, en réalité, je travaille beaucoup plus. – b. ... bien qu'on nous ait dit que les contrats n'allaient pas être changés. – c. ... alors que nous pensions que l'organigramme ne serait pas modifié. – d. ... bien que ce changement de domicile ne me plaise pas du tout.

Exercice 6
a. Myriam cherche à avoir des clients sérieux, dans la région du Jura.
b. Elle est secrétaire et elle travaille actuellement comme télésecrétaire.
c. Elle se plaint de ne pas avoir de clients malgré ses efforts (site, mailing, publicités, contacts...).
d. Elle demande des conseils pour savoir comment s'y prendre pour avoir de nouveaux clients. Elle demande également si quelqu'un connaît des entreprises qui recrutent des télésecrétaires.
e. Elle a entendu dire qu'il y a des entreprises dans la région qui recrutent des télésecrétaires.

Exercice 7
a. Vous devez vous calmer pour éviter le stress.
b. Des dizaines de personnes ont assisté à deux conférences sur les conditions de travail.
c. Les cartes heuristiques permettent de mieux gérer son temps.
d. À l'annonce de la fusion, les rumeurs ont commencé à circuler.

▶ Test (page 52)
Exercice 1
a. surcharge – b. sensibilisation – c. fusions-acquisitions – d. droit du travail

Exercice 2
a. organiser – b. branches – c. prioriser – d. globale

Exercice 3
a. Lucas pourra... – b. ... les cartes heuristiques soient utiles. – c. ... que le directeur aille leur parler de la fusion-acquisition. – d. ... que l'entreprise connaissait des difficultés.

Exercice 4
a. s'est – b. se soit – c. a – d. se développe

Exercice 5
a. Vrai – b. Faux – c. Vrai – d. Vrai

Corrigés

UNITÉ 7

▶ Leçon 1 (pages 54-55)

Exercice 1

a. Il s'agit d'un employé de la compagnie Air France et d'un client.

b. Il veut modifier son billet pour Munich.

c. C'est le DF 030877.

d. Il veut partir le 28 novembre, l'après-midi.

e. C'est un vol avec escale.

f. Aéroport de départ : Paris
Aéroport d'arrivée : Munich
Heure de départ : 17 h 40
Heure d'arrivée : 19 h 05
Vol direct
Modification faite avant la veille du départ : gratuit.

Exercice 2

a. Une escale : un arrêt marqué pendant un vol.

b. Des frais : somme d'argent dépensée pour une raison précise.

c. Un voucher : un bon fait par une agence de voyage, par exemple pour une chambre d'hôtel ou pour un voyage.

d. Une rampe d'accès : un plan incliné permettant l'accès pour des personnes à mobilité réduite, en fauteuil roulant par exemple.

Exercice 3

a. compagnie – b. destination – c. escale – d. affaire / économique – e. bagages – f. conditions

Exercice 4

accéder – un aménagement – une annulation – réserver – une modification – un déplacement

Exercice 5

a. celui-ci / celui-là – b. celle-là – c. celui-ci / celui-là – d. celle-ci / celle-là – e. celles-ci – f. ceux-là – g. ceux-ci / ceux-là

Exercice 6

a. quelqu'un – b. certaines – c. quelques-uns – d. toutes – e. plusieurs – f. personne – g. quelqu'un – h. Tous

Exercice 7

a/5 – b/4 – c/3 – d/2 – e/6 – f/1

▶ Leçon 2 (pages 56-57)

Exercice 1

a. Maxime est bloqué à Lyon parce qu'il y a eu un problème sur la voie entre Lyon et Montpellier et les trains ne partent plus. Le trafic est arrêté.

b. On ne sait pas quand le trafic sera rétabli.

c. Il va voir s'il peut louer une voiture.

d. Maxime va prévenir Jacques de son retard éventuel. Maxime tient Catherine au courant dès qu'il a plus d'informations.

Exercice 2

• **Transports :** Avion / train

– Avion : aéroport – vol – porte d'embarquement

– Train : gare – quai – correspondance

• **Hôtel :** chambre – voucher – salle de bain

Exercice 3

a. passagers / porte d'embarquement – b. destination – c. excédent / supplément – d. compagnie / départ – e. dédommagement / perte

Exercice 4

a. ... j'en aurais choisi une autre. – b. ...vous seriez arrivé plus tôt. – c. ... le trafic n'aurait pas été perturbé. – d. ... elles auraient mis moins de temps à se rendre au centre de Paris. – e. ... tu serais arrivé trop tard pour ton rendez-vous.

Exercice 5

a. je n'avais pas entendu / je serais allé – b. tu avais mis / tu aurais dû – c. vous auriez pu / vous n'étiez pas tombé... – d. nous avions su / nous aurions voyagé – e. je n'avais pas écrit / elle ne m'aurait pas dédommagé

Exercice 6

1/e – 2/g – 3/d – 4/c – 5/f – 6/b – 7/a

▶ Leçon 3 (pages 58-59)

Exercice 1

a. Les villes sont situées en Belgique et en France.

b. Elle a rencontré les clients au salon de Bruxelles.

c. Les clients sont satisfaits de leur collaboration avec l'entreprise de Vanessa.

d. Elle espère renforcer le partenariat.

e. La négociation ne va pas être facile parce que monsieur Andries est très habile.

Exercice 2

a/6 – b/4 – c/5 – d/ 3 – e/1 – f/2

Exercice 3

conclure – implanter – certifier – consolider – signaler – réunir

Exercice 4

a/4. Il est rentré de mission dans la nuit du dimanche au lundi **donc** il était très fatigué.

b./1. **Comme** j'ai rencontré Madame Monet, je lui ai présenté le nouveau packaging.

c./5. J'ai eu un problème à l'aéroport **si bien que** je n'ai pas pu rencontrer nos collaborateurs comme prévu.

d./2. Je viens d'arriver à l'instant **c'est pourquoi** je n'ai pas eu le temps de vous envoyer mon compte-rendu.

e./3. Il lui a laissé 2 jours pour réfléchir **puis** il l'a rappelé pour accepter une de ses propositions.

Exercice 5

a. La mission s'est déroulée à Bruxelles, pendant 6 jours (du 12 au 17 septembre).

b. L'employé a rencontré des clients actuels et potentiels, des distributeurs et les représentants de la chambre de commerce.

c. La collaboration est satisfaisante mais il y a des améliorations à apporter au niveau des livraisons.

d. La réunion avec la Chambre de Commerce avait pour objectif d'obtenir une aide financière et logistique.

e. L'entreprise avait un stand sur le salon professionnel de Bruxelles pendant 4 jours. / Les distributeurs sont satisfaits de la collaboration avec l'entreprise.

▶ Test (page 60)

Exercice 1
a. celui-ci – b. ceux-ci – c. celles-ci – d. ceux-ci / ceux-là – e. celle-ci / celle-là

Exercice 2
a. avions vérifié – b. avait pris – c. aurais dû – d. je n'aurais jamais imaginé

Exercice 3
a. … j'ai raté mon avion
b. … j'ai fait mon compte-rendu de mission lundi matin.
c. … nous sommes allés remercier ses représentants.

Exercice 4
a/5 – b/1 – c/4 – d/3 – e/2

Exercice 5
a. Faux – b. Faux – c. Faux – d. Faux – e. Vrai – f. Vrai

UNITÉ 8

▶ Leçon 1 (pages 62-63)

Exercice 1
a. L'appel d'offres concerne le partage de voitures électriques à Paris.
b. 6 candidats ont répondu à l'appel d'offres.
c. Bolloré à remporté l'appel d'offres.
d. La Blue car est une voiture électrique de 4 places, avec une batterie d'une autonomie de 4 heures pour 250 km en milieu urbain.
e. 3000 voitures sont en service.
f. Les abonnés payent 12 euros l'heure et 5 euros la demi-heure.
g. Le groupe a investi 60 millions d'euros dans le projet.
h. les agents sur le terrain servent à promouvoir et à organiser le service.

Exercice 2
a/4 – b/3 – c/1– d/5 – e/2

Exercice 3

V	P	A	T	I	L	N	M	R
P	R	O	C	E	D	U	R	E
L	I	F	B	A	O	N	I	G
I	N	M	E	N	S	U	E	L
O	C	A	T	B	U	O	G	E
C	I	R	U	U	I	S	P	M
H	P	R	B	T	I	P	T	E
V	E	C	F	I	O	N	I	N
L	J	U	G	E	M	E	N	T

Exercice 4
a. auxquels – b. par laquelle – c. à laquelle – d. auquel – e. dont – f. à laquelle – g. qui

Exercice 5
a. ne pas seulement regarder les prix des offres proposées.
b. Non, il ne faut pas toujours choisir l'offre la moins chère. Il faut aussi prendre en compte d'autres critères.
c. Il faut aussi prendre en compte les avantages environnementaux et sociaux et les idées innovantes.
d. Les règles plus strictes sont destinées à garantir le respect des lois du travail et les accords collectifs.
e. La directive porte sur les solutions innovantes.

▶ Leçon 2 (pages 64-65)

Exercice 1
a. Renault finance des projets pour réduire les inégalités entre les personnes qui ont accès à un véhicule et celles qui n'y ont pas accès.
b. Les partenariats avec des associations ont pour but de permettre un accès simplifié à la mobilité.
c. Renault donne des aides pour passer le permis de conduire. / Renault prête des voitures à des personnes qui ont besoin d'un véhicule pour obtenir un travail.
d. Renault explique aux conducteurs comment réduire la consommation de carburant et de gaz à effet de serre et encourage le covoiturage.
e. Pour encourager le covoiturage, Renault a mis en place un service interne à l'entreprise.

Exercice 2
a. provisoire – b. réfractaire – c. dominical – d. exclusion

Exercice 3
a. contribution / entreprises / développement – b. diffuse – c. préjudice / biens – d. environnementaux / sociaux

Exercice 4
a. 3e personne du pluriel du présent de l'indicatif.
b. • ils/elles développent – je développe – vous développiez
• ils/elles finissent – je finisse – vous finissiez
• ils/elles plaident – je plaide – vous plaidiez
• ils/elles encourent – j'encoure – vous encourriez

Corrigés

Exercice 5

a. ... pour que chacun soit responsable de la planète.

b. ... pour que ceux-ci aient envie de rester travailler dans l'entreprise.

c. ... pour que les gens qui travaillent en semaine puissent faire leurs courses ce jour-là.

d. ... pour que leur salaire soit plus élevé.

e. ... pour que les petits producteurs bénéficient d'avantages plus importants.

Exercice 6

a. 51 % des entreprises de plus de 50 salariés s'impliquent dans la RSE.

b. Les petites entreprises se sont surtout investies dans les politiques de lutte contre les discriminations (à 24 %).

c. Les petites entreprises et les entreprises de plus de 50 salariés se rapprochent dans la gestion économe des ressources et le recyclage des déchets.

d. Les petites entreprises sont moins impliquées dans la RSE par manque de temps, d'information ou d'appui public.

Exercice 7

Production libre.

▶ Leçon 3 (pages 66-67)

Exercice 1

a. La cliente téléphone à l'UFC Que choisir, une association de consommateurs, parce qu'elle a un problème avec son opérateur téléphonique.

b. La femme est cliente chez cet opérateur depuis plus de 3 ans, 40 mois exactement.

c. Elle a téléphoné au service clients et elle a envoyé une lettre recommandée avec accusé de réception.

d. Elle lui propose de passer à l'association avec son contrat, dans la semaine, un après-midi. La cliente décide de passer le lendemain.

Exercice 2

a. fusionné – **b.** infligé – **c.** régulation – **d.** rectification – **e.** confidentialité

Exercice 3

fusionner – contentieux – régulation – concepteur – recenser

Exercice 4

a. Le Tranquilien leur permet de savoir s'il y en a beaucoup.

b. L'association lui a permis de le régler.

c. L'ouverture de donnés la lui a facilitée.

d. Donnons la leur.

e. Aidez-les à les régler.

Exercice 5

a. Les entreprises ont le droit d'échanger des fichiers, mais cet échange ne peut pas être gratuit. L'échange de fichiers doit faire l'objet d'une facturation.

b. Les entreprises ont besoin de l'accord des personnes concernées quand elles veulent communiquer leurs cordonnées.

c. Non, la trace écrite n'est pas indispensable. L'accord peut être obtenu par téléphone ou par un commercial en visite.

d. Les entreprises doivent déclarer à la Cnil leur fichier dès qu'il existe même si elles n'ont pas l'intention de le vendre ou de l'échanger.

Exercice 6

a. américaine. /En/

b. européen /Ẽ/

c. aucune /yn/ – convient /Ẽ/

d. parisiens /Ẽ/

▶ Test (page 68)

Exercice 1

a. à laquelle – **b.** pour lesquels – **c.** auxquelles – **d.** dont

Exercice 2

a. ait – **b.** choisissent – **c.** se rende compte – **d.** puissent

Exercice 3

a. Expliquez-la leur. – **b.** Nous la lui avons présentée en réponse à son appel d'offres – **c.** Nous leur en avons parlé. – **d.** Donnez-les lui pour qu'il les y inscrive.

Exercice 4

a. un contentieux – **b.** un lobby – **c.** l'open data – **d.** une pratique abusive

Exercice 5

a. Faux – **b.** Faux – **c.** Faux – **d.** Vrai

UNITÉ 9

▶ Leçon 1 (pages 70-71)

Exercice 1

a. L'indicateur le plus important est le chiffre d'affaires.

b. Il permet de se comparer à la concurrence et de se situer dans son secteur.

c. Il faut faire des bilans de manière régulière, une fois par trimestre.

Exercice 2

équilibrer – le maintien – bénéficier – un financement – risquer – la rentabilité

Exercice 3

a/3 – b/5 – c/2 – d/1 – e/4

Exercice 4

a. sont – **b.** réduiront – **c.** j'assisterais – **d.** était – **e.** allions

Exercice 5

a. serait – **b.** diminueraient – **c.** remettrait – **d.** aurions fini – **e.** sont bons

Exercice 6

a. La mutuelle Miel a conclu un accord avec le groupe Apicil.

b. Il va permettre à Miel de consolider son développement, de renforcer sa solidité financière.

c. Le président de Miel dit que l'entreprise n'avait plus la taille critique pour travailler seule.

d. Miel a eu 4,5 millions d'euros de pertes en 2012.

e. Pour 2014, on prévoit un retour aux bénéfices.

f. Le groupe Apicil est leader dans son domaine. / Le rapprochement entre les deux groupes est un choix stratégique.

▶ Leçon 2 (pages 72-73)

Exercice 1

a. Le sujet abordé concerne les agences de notation.

b. Le rôle d'une agence de notation est d'évaluer, de manière indépendante, le risque de faillite ou de non remboursement des différents acteurs économiques.

c. Les agences attribuent des notes allant du triple A (AAA) au triple C (CCC).

d. Les experts s'appuient sur un travail d'analyse des chiffres économiques et financiers.

e. Standard & Poor's, Moody's et Fitch.

Exercice 2

pauvres – endettés – dette – emprunter – remboursements – publique – revenus

Exercice 3

a. dégringolé – **b.** affaiblie – **c.** endettés – **d.** croissance – **e.** crise

Exercice 4

a. endettés – **b.** prêts – **c.** bulle – **d.** le chômage – **e.** du logement

Exercice 5

a. Ce mois-ci, de nouvelles usines ont ouvert en Europe, malgré la crise.

b. Les économies de Christine ont été employées dans la création d'une TPE.

c. Plusieurs postes ont été supprimés à cause de la situation difficile que nous traversons.

d. Des talents ont été recrutés pour relancer notre activité commerciale.

e. Des prêts ont été accordés à de nombreuses familles par les banques.

f. Des commerces très anciens ont été fermés dans notre ville.

Exercice 6

a. Nous avons mené des enquêtes auprès de nos clients potentiels pour étudier ce produit.

b. Nous avons acheté de nouveaux équipements pour remplacer les anciens.

c. On a convoqué tout mon service à une réunion urgente.

d. La panne électrique a abîmé quelques ordinateurs.

e. Nous avons lancé un nouveau projet destiné à combler les pertes occasionnées par la chute des ventes.

Exercice 7

a. La restructuration des dettes pour les pays du sud.

b. La crise est loin d'être terminée.

c. Le Portugal est en situation de dépendance vis-à-vis de certains pays.

d. Restructurer la dette.

▶ Leçon 3 (pages 74-75)

Exercice 1

a. Tous les moyens sont bons pour faire des économies.

b. Pour faire des économies : la taille des pizzas a baissé alors que leur prix a augmenté.

c. La municipalité de Mulhouse a décidé de baisser la température de l'eau des piscines municipales d'un degré. Cette mesure a permis à la ville de réaliser une économie de 240 000 euros.

d. Selon certains, les femmes mettraient plus de rouge à lèvres pour attirer des hommes riches.

Exercice 2

a. exploité. – **b.** expansion. – **c.** émergence. – **d.** niche. – **e.** rapporter. – **f.** porteur.

Exercice 3

de me lancer – droits – monté – financement – économies – prêt – lancement – site – rapporte

Exercice 4

a. Oui, nous en avons recruté beaucoup.

b. Non, nous n'en avons pas eu.

c. Oui, nous y avons pensé.

d. Oui, j'y ai travaillé pendant dix ans.

e. Non, je n'en gagne pas beaucoup.

Exercice 5

a. C'est Marie qui s'en est chargé. – **b.** Oui, ils s'y sont tous inscrits. – **c.** Tu peux lui en parler à votre réunion ? – **d.** nous en avons ouvert une autre en Normandie. – **e.** j'y penserai le mois prochain.

Exercice 6

a. 31,33% des Français en consomment tous les jours.

b. Ce sont les femmes qui aiment le plus le chocolat (32,56 %). Seulement 2,2% n'aiment pas le chocolat.

c. 35,91% des Français vont dépenser moins de 25 euros en chocolat pour Pâques. 32,84 % vont dépenser entre 25 et 50 euros.

d. Le chocolat est principalement vendu en supermarché.

Corrigés

Exercice 7

a. Les chiffres ont baissé par rapport au premier trimestre.
b. C'est le compte de résultat pour l'année deux mille treize.
c. Sur cette ligne, il y a les charges et les capitaux propres.
d. La crise a profondément bouleversé l'économie de notre continent.

▶ Test (page 76)

Exercice 1
a. prêts – b. stabilité – c. investi – d. placements

Exercice 2
a/4 – b/1 – c/2 – d/3

Exercice 3
a/4 – b/1 – c/3 – d/2

Exercice 4
a. ... tu en as demandé ? – b. ... qui en crée. – c. ... je n'ai pas arrêté d'y penser. – d. ... Moi aussi je vais y assister.

Exercice 5
a. augmenteront / augmenteraient. – b. est / était. – c. est / était. – d. pouvons.

Exercice 6
a. Faux. – b. Vrai. – c. Faux. – d. Vrai.

UNITÉ 10

▶ Leçon 1 (pages 78-79)

Exercice 1
a. Pour la première personne, le bilan de compétences lui a permis de refaire son CV. Son objectif était d'analyser son expérience et de faire le point sur ses compétences. Elle voulait trouver de nouvelles pistes professionnelles.
b. La deuxième personne a trouvé intéressant de parler de son parcours et de ses compétences avec quelqu'un qui ne la connaissait pas.
c. Il manque à la troisième personne de faire plus de simulations autour de l'entretien d'embauche.
d. Le bilan a révélé à la troisième personne qu'elle avait un esprit très créatif. Maintenant, elle a un autre projet professionnel, dans le domaine de la mode.

Exercice 2
compétences – changement – tourner en rond – déstabilisé – pris en charge – salutaire – cabinet de conseil – regard critique

Exercice 3
un investissement – évoluer – une évaluation – une expertise – motiver – aider – une décision

Exercice 4
a. d'une part... d'autre part – b. Toutefois – c. C'est pourquoi – d. notamment / au contraire

Exercice 5
a. en particulier – b. En résumé – c. En revanche – d. encore

Exercice 6
a. Elle a créé 6 100 emplois.
b. Elle embauche beaucoup via des *job dating*.
c. Pour la rentrée, elle pense recruter 3 000 personnes.
d. Elle se situe devant EDF et Airbus.
e. L'entreprise organise des séances plusieurs mardis par an, au cours desquelles elle réalise des entretiens qui durent entre 7 et 8 minutes par candidat.
f. Le forum « Paris pour l'emploi » a lieu à Paris chaque automne.
g. Pour être recruté, il ne faut pas venir en touriste.

▶ Leçon 2 (pages 80-81)

Exercice 1
a. C'est un regroupement d'individus qui viennent ensemble faire des achats dans un petit commerce indépendant pour l'aider, voire le sauver.
b. Cette idée est née aux États-Unis, en 2011. C'est un bloggeur américain désespéré de voir les clients abandonner le caviste de son quartier au profit des grandes surfaces qui est à l'origine de cette initiative.
c. Il s'agissait de se retrouver chez un caviste et d'acheter une bouteille ou deux pour relancer les affaires.
d. L'expérience a fonctionné au Canada. Un libraire canadien de l'Ontario a reçu la visite d'une cinquantaine de clients venus dépenser au moins 15 euros dans sa boutique. En deux heures, il avait réalisé son chiffre d'affaires quotidien.

Exercice 2
innovantes – récompensent – talent – catégories – incubateur – création – projet

Exercice 3
a/2 – b/3 – c/4 – d/1

Exercice 4
a. que tu sois choisi – b. que son application soit compatible – c. que votre entreprise n'ait pas eu – d. que tous nos investissements porteront

Exercice 5
a. Je suis désolé que vous deviez quitter votre entreprise.
b. J'ai peur que nous commettions une erreur.
c. Ce programme, je préfère que vous le lanciez vous-même.
d. Je suis content qu'ils aient participé à ce séminaire.

Exercice 6
a. La halle Freyssinet se trouve à Paris, sur la rive gauche de la Seine.
b. Cette installation servira à accueillir un gigantesque incubateur numérique capable d'héberger pas moins de 1 000 start-up.

c. La halle proposera des salles de réunion et un auditorium, des espaces de convivialité, des bureaux et des salles d'archives.

▶ Leçon 3 (pages 82-83)

Exercice 1
a. Elle était directrice marketing.
b. Yaël s'occupe de la cuisine créative et Didier du développement.
c. La cuisine est la passion de Yaël.
d. TF1 contacte Yaël pour illustrer leur reportage sur les nouveaux entrepreneurs via les réseaux sociaux.

Exercice 2
a. faible. – b. charisme. – c. crédibilité. – d. affirmer. – e. préjugés.

Exercice 3
tenace – autoritaire – la crédibilité – déterminée – charismatique – une restriction – convaincue – artisanale

Exercice 4
a. Il a été recruté tout de suite sans avoir de diplôme.
b. Elle a monté son commerce sans recevoir aucune aide financière.
c. Elle a réussi à imposer son autorité sans avoir eu à prendre des mesures difficiles.
d. Ils nous ont accordé un prêt sans nous demander aucune garantie.
e. Nous avons organisé un speedmeeting sans savoir s'il sera bien accueilli.

Exercice 5
a. Elle a quitté notre entreprise sans dire si elle avait un nouveau poste.
b. Il a recruté deux nouveaux collaborateurs sans jamais les voir personnellement.
c. Elle a décidé de créer son entreprise sans demander conseil à ses proches.
d. Nous avons ouvert un siège à Madrid sans parler espagnol.
e. Je ne signerai pas ce contrat sans lire toutes les clauses.

Exercice 6
a. Ce site a été créé par et pour des femmes chefs d'entreprise.
b. Ce site organise des réunions de partage d'information, d'expériences et de savoir-faire, des visites d'entreprise, des rencontres-débats, des *business dating*, des opérations avec d'autres réseaux au féminin et des événements en partenariat avec les acteurs culturels et économiques locaux.
c. ENTREPRENEURES.COM est présent sur les réseaux sociaux : le site a une page Facebook.
d. Leur page a 12 000 fans.

Exercice 7
Charles recherche un emploi en Belgique.
/ʃ/ /ʃ/ /ʃ/ /ʒ/
b. J'ai remarqué un changement d'attitude chez Julie.
/ʒ/ /ʃ/ /ʒ/ /ʃ/ /ʒ/
c. Je cherche une agence pour prendre en charge mon bilan
/ʒ/ /ʃ/ /ʃ/ /ʒ/ /ʃ/ /ʒ/
de compétences.
d. Serge est ingénieur en chimie : c'est lui qui a décroché le
/ʒ/ /ʒ/ /ʃ/ /ʃ/
contrat.

▶ Test (page 84)

Exercice 1
a. sessions – b. doutes / décisions. – c. changements / carrière – d. évaluation

Exercice 2
a. changement. – b. salutaire. – c. nuisible

Exercice 3
a. que vous téléphoniez – b. que vous deviez – c. que tu viennes – d. que tu n'aies pas eu – e. qu'un bilan de compétences se fasse

Exercice 4
a. cependant – b. encore – c. c'est pourquoi – d. néanmoins

Exercice 5
a. Vrai : « Le gouvernement lance un nouveau dispositif d'aide à la création d'entreprise pour les jeunes issus des quartiers difficiles »
b. Faux : « Qu'ils habitent les quartiers nord de Marseille, Vaulx-en-Velin ou Sarcelles... »
c. Faux : « De la start-up high-tech au restaurant, tous les projets seront acceptés... »
d. Vrai : « La Banque publique d'investissement (BPI) va investir 10 M€... »
e. Vrai : « La survie à cinq ans de ces entreprises est en effet trente fois inférieure à la moyenne nationale. »

Préparation au DELF Pro

▶ Compréhension de l'oral (page 86)

Exercice 1
a. 1850
b. L'usine a été liquidée.
c. La production a été stoppée et les 37 salariés ont été licenciés.
d. Elles ont occupé l'usine 24h/24.
e. Les deux adjectifs sont « furieux » et « unanimes ».

f. Le 27 février, les salariés ont offert gratuitement, sur le marché de Saint-Sauveur de Caen, plus de 3000 sachets de madeleines.

g. Aujourd'hui, les salariés espèrent un repreneur.

h. Ils ont raison d'espérer car deux repreneurs potentiels doivent visiter l'entreprise la semaine suivante. Ils devraient déposer des dossiers solides.

Exercice 2

a. Le but de la réunion est de fixer le prix du nouveau produit, les lunettes à montures interchangeables.

b. Le prix doit être juste, attractif, avec un bénéfice.

c. Le prix en brut des lunettes. / Le prix des lunettes chez les concurrents. / La marge à ajouter au coût de revient.

d. L'erreur à ne pas commettre est de lancer les lunettes Luniclick à un prix trop bas.

e. L'entreprise est une entreprise établie qui a une image à défendre.
Lancer les Luniclick a un prix trop bas donnerait l'image d'un produit de faible qualité.

▶ Compréhension de l'écrit (page 86-87)

Exercice 1

• Salon A
Situation géographique : Ne convient pas
Prix du stand : Convient
Équipement du stand : Ne convient pas
Domaine d'activité : Ne convient pas
Dates : Ne convient pas

• Salon B
Situation géographique : Convient
Prix du stand : Convient
Équipement du stand : Convient
Domaine d'activité : Convient
Dates : Convient

• Salon C
Situation géographique : Ne convient pas
Prix du stand : Ne convient pas
Équipement du stand : Ne convient pas
Domaine d'activité : Convient
Dates : Ne convient pas

• Salon D
Situation géographique : Ne convient pas
Prix du stand : Convient
Équipement du stand : Convient
Domaine d'activité : Ne convient pas
Dates : Ne convient pas

• Choix du Salon : Salon B.

Exercice 2

a. Il s'agit de toutes sortes de réunions de travail organisées en dehors du contexte professionnel habituel des participants.

b. Les séminaires d'entreprise servent à motiver les collaborateurs ou à renforcer la cohésion des équipes.

c. Le séminaire d'entreprise est également appelé séminaire de motivation ou séminaire de cohésion d'équipe (*team building*).

d. 3 activités à pratiquer en séminaire : trekking, jeux de rôles, courses d'orientation.

e. Les objectifs de ces activités sont de renforcer la cohésion des équipes, d'impliquer davantage les collaborateurs et de développer l'esprit d'entreprise.

f. • Faux : « si les activités proposées vous mettent mal à l'aise ou vous mettent en danger [..], vous êtes en droit de refuser de les pratiquer. »

• Faux : « Dans les séminaires, votre présence est considérée comme du temps de travail effectif. »

• Faux : « quand les séminaires se déroulent le week-end, ils ne donnent pas lieu à récupération. »

• Faux : « Si vous ne participez pas à un séminaire [...], votre employeur ne peut retenir aucune sanction contre vous. »

g. Un refus de participer à un séminaire de motivation peut être interprété comme un manque de motivation ou une mauvaise intégration dans l'entreprise.

Préparation au DFP Affaires de la CCIP

▶ Compréhension écrite (page 89-90)

Exercice 1
1. B. 1 heure par jour
2. C. moins d'une minute
3. A. 3 offres par semaine
4. D. 2 mois

Exercice 2
1. C. 60 % des salariés sont obligés par leur entreprise à utiliser les compagnies *low cost*.
2. C. Rencontrer des clients
3. A. Les agences de voyage ne sont pas utiles.
4. B. Les voyages d'affaires ont augmenté de 2,4 % par rapport au dernier trimestre 2013.
5. B. Les réseaux sociaux sont utilisés pour rechercher des activités à faire sur place.

▶ Compréhension orale (page 90-91)

Exercice 1
a. S'il rachetait le réseau de Bouygues Telecom, Xavier Niel aurait besoin de recruter un millier de personnes.

b. Céder son réseau et ses fréquences.

c. L'objectif pour le marché et le régulateur des télécoms est d'avoir un bon équilibre entre les opérateurs.

d. Free sortirait plus fort.

e. Vivendi réunit son conseil d'administration pour décider du sort de son opérateur SFR.

Exercice 2

a. Audrey Puccini est chef de projet événementiel. Elle organise des réceptions, des séminaires d'entreprises, des conventions, des assemblées ; des inaugurations. Elle imagine et organise des événements.

b. Elle commence par recevoir le client et planifier l'événement.

c. 1 : Définir le cahier des charges. – 2. Faire une proposition compatible avec le budget du client. – 3. Définir le calendrier avec réunions de préparation et suivi.

d. Le but c'est que le client soit satisfait.

e. Audrey Puccini sollicite le client pour les points à retravailler et pour les ajustements importants à faire.

f. Audrey Puccini est toujours présente sur les événements pour gérer les imprévus.

g. Pour faire le métier d'Audrey Puccini, il faut être calme, posé et créatif.

VIDÉOS

▶ Unité 1 (page 92)

Exercice 1
a. Vrai – **b.** Faux – **c.** Faux – **d.** Faux

Exercice 2
a. en séminaire – **b.** dans les bois – **c.** violet

Exercice 3
a. Vrai – **b.** Vrai – **c.** Faux – **d.** Faux

Exercice 4
a. tous les ans – **b.** détendu et agréable – **c.** pour les commerciaux – **d.** d'organiser des tables rondes

▶ Unité 3 (page 93)

Exercice 1
a. Vrai – **b.** Vrai – **c.** Faux – **d.** Faux

Exercice 2
a. noirs – **b.** les mains posées sur la table – **c.** bleue

Exercice 3
a. Faux – **b.** Vrai – **c.** Faux – **d.** Vrai – **e.** Faux

Exercice 4
a. de scanner un QR code – **b.** des 35-45 ans – **c.** récupérer les e-mails des utilisateurs

▶ Unité 6 (page 93)

Exercice 1
a. Faux – **b.** Vrai – **c.** Faux – **d.** Vrai

Exercice 2
a. ronde – **b.** des dossiers – **c.** un calendrier

Exercice 3
a. Vrai – **b.** Vrai – **c.** Faux – **d.** Faux

Exercice 4
a. expliquer le fonctionnement du service – **b.** plus efficaces – **c.** reste connecté à son équipe

▶ Unité 8 (page 94)

Exercice 1
a. Vrai – **b.** Faux – **c.** Faux – **d.** Faux

Exercice 2
a. tasse – **b.** un ordinateur portable – **c.** bleue

Exercice 3
a. Vrai – **b.** Vrai – **c.** Faux – **d.** Vrai

Exercice 4
a. les données personnelles – **b.** la Commission Nationale de l'Informatique et des Libertés – **c.** l'Allemagne

▶ Unité 10 (page 95)

Exercice 1
a. Faux – **b.** Faux – **c.** Vrai – **d.** Vrai

Exercice 2
a. une veste noire – **b.** une imprimante – **c.** le blanc et l'orange – **d.** africain

Exercice 3
a. Vrai – **b.** Vrai – **c.** Faux – **d.** Faux

Exercice 4
a. l'emplacement du magasin – **b.** morose – **c.** sur Internet

Lexique

Lexicon

(Les mots sont suivis du numéro de l'unité dans laquelle ils apparaissent.)

A

A

à bord (U7)	on board
à destination de (U7)	travelling to
à la tête de (U2)	at the front of
à long terme (U1)	long term
abandonner (U10)	to cancel
aborder quelqu'un (U3)	to address someone
abus de position dominante, l'(U2)	abuse of a dominant position
abusivement (U2)	abusively
accaparant(e) (U10)	demanding
accéder (U7)	to access (v)
accès, un (U7)	access (n)
accord unilatéral, un (U6)	unilateral agreement
accorder (U9)	to grant
accorder sa confiance (U5)	to trust
accrocher un public (U3)	to attract the public
accroître le capital sympathie (U3)	to increase sympathy capital
accumuler, s' (U10)	to accumulate
achat en ligne, par correspondance, un (U1)	on-line purchase, mail order purchase
acheminement, l' (U2)	routing
actif circulant, l' (U9)	current assets
actif immobilisé, réalisable, disponible, l' (U9)	fixed, realisable, liquid assets
administration des ventes, l' (U5)	sales administration
adopter (U2)	to adopt
adopter une stratégie (U10)	to adopt a strategy
aérien(ne) (U2)	air
afficher une croissance positive (U9)	to achieve positive growth
affluence, l' (U3)	affluence
affronter (U9)	to confront
agence de notation, une (U9)	ratings agency
agilité, l' (U1)	agility
agréger, s' (U6)	to join
aide à la décision, une (U10)	decision support
aide financière, une (U7)	financial support
aide logistique, une (U7)	logistics support
aiguiser (U4)	to stimulate
ajustement, un (U1)	adjustment,
aléa, un (U2)	to hazard
aligner ses prix (U2)	to align prices
allée principale, secondaire, une (U3)	main, secondary, périphérique, peripheral aisle
allégé(e) (U8)	reduced
ambiance de travail, une (U1)	working atmosphere
ambiance, une (U1)	atmosphere
ambitieux / ambitieuse (U4)	ambitious
aménager (U7)	to develop
amenuiser, s' (U2)	to lessen
amont ≠ aval (U2)	upstream ≠ downstream
ample (U4)	ample
analyse sémantique, l' (U5)	semantic analysis
ancienneté, l' (U6)	seniority
ancrer dans les mémoires (U2)	to root in memories
angoisse, l' (U8)	anguish
annulation, une (U7)	cancellation
anomalie, une (U5)	anomaly
anticiper (U5)	to anticipate
anticoncurrentiel(le) (U2)	anti-competitive
anxiété, l' (U6)	anxiety
appâter (U7)	to lure
appel d'offres, un (U8)	request for proposals
application mobile, une (U10)	mobile application
apporter des améliorations (U1)	to improve
apporter satisfaction (U5)	to satisfy
appréhender (U6)	to assess
approvisionnement, un (U2)	supply
aptitude, une (U9)	ability
arguer (U2)	to argue
arpenter (U4)	to survey
arracher un accord (U7)	to obtain an agreement
artisanal(e) ≠ professionnel(le) (U10)	traditional ≠ professional
assigner à (U5)	to assign to
association de consommateurs, une (U2)	consumers association
astreinte, une (U8)	penalty
atelier, un (U1)	workshop
attester (U8)	to certify
attirer l'attention (U3)	to attract attention
attirer le client (U5)	to attract a customer
attrait, une (U3)	attraction
au profit de (U8)	for the benefit of
auto-alimenter, s' (U3)	to auto supply
autonomie, l' (U8)	range
avantage acquis, un (U6)	advantage acquired
avantageux / avantageuse (U2)	advantageous
avant-garde, l' (U10)	avant-garde
avenant, un (U6)	endorsement
avérer, s' (U3)	to prove to be
avoir les moyens (U1)	to have the means
axe de communication, un (U5)	communication axis

B

B

bagage, un (U7)	luggage
baliser (U4)	to tag
banc d'essai, un (U8)	test bench
barrière psychologique, une (U2)	psychological barrier
base de données, une (U8)	database
batterie rechargeable, une (U8)	rechargeable battery
benchmark, un / benchmarking, le (U1)	benchmark, benchmarking
bénéfice par action (BPA), le (U9)	earnings per share
bénéficier d'un statut (U6)	to enjoy a status
bénévole, un(e) (U8)	volunteer (n)
bienfait, une (U3)	benefit (n)
big data, le (U10)	big data
bilan de compétences, un (U10)	skills assessment
bio (U2)	organic
biologique / bio (U7)	organic
bloggeuse, une (U3)	blogger
boîte à outils, une (U6)	toolbox
boîtier électrique, un (U3)	electrical cabinet
bon plan, un (U3)	good plan
bon vouloir, le (U3)	goodwill
bonbonne, une (U8)	cylinder
bonne marche, la (U1)	smooth running

Lexique

Lexicon

bonne parole, la (U3)	right word
booster ses ventes (U3)	to boost sales
bordure, la (U7)	border
borne de jeu, une (U4)	games machine
borne, une (U5)	terminal
bouche à oreille, le (U3)	word of mouth
bouchon, un (U6)	stopper
boulot, le (U9)	job
bourse à l'emploi, une (U10)	employment exchange, job centre
bourse, la (U2)	stock exchange
bout du tunnel, le (U9)	end of the tunnel
bricoler / le bricolage (U8)	do DIY to/ DIY
brochure, une (U4)	brochure
btob, le (U1)	b to b
btoc, le (U1)	b to c
business (U7)	business
business plan, un (U10)	business plan
buzz, un (U3)	*buzz*

C

C

cabinet de conseil, un (U10)	consultancy
campagne, opération, action publicitaire, une (U3)	campaign, operation, advertising campaign
capacité, une (U6)	capacity
capital social, le (U9)	capital
capitaux propres, les (U9)	shareholders' equity
capter un client (U5)	to capture a customer
carrière, une (U10)	career
carte d'embarquement, la (U7)	boarding card
carte heuristique, une (U6)	cognitive map
carte mentale, une (U6)	mental map
cash, le (U9)	cash
catalogue, un (U3)	catalogue
catégorie, une (U5)	category
centrale d'achats, une (U2)	purchasing centre
cerner des besoins (U1)	to identify the needs
certification, une (U7)	certification
cession, une (U9)	transfer (n)
chaleureux / chaleureuse (U3)	warm
chambre de commerce, la (U7)	chamber of commerce
changement, un (U10)	change (n)
charge d'exploitation, une (U9)	operating expense
charge patronale, une (U9)	employer's contribution
charge, une (U9)	expense
charisme, le (U10)	charisma
choix stratégique, un (U1)	strategic choice
ciblage, le (U8)	targeting
ciblé(e) (U10)	targeted
cible, une (U3)	target (n)
cibler (U1)	to target (v)
circuit monétaire, le (U9)	monetary circuit
civilement (U2)	civilly
clarifier (U9)	to clarify
clarifier les enjeux (U1)	to clarify the issues
classe, une (U7)	class
classeur, un (U4)	file
clé de la réussite, la (U5)	key to success
clientèle, la (U5)	clientele
clignotant, un (U9)	indicator
cloison, une (U3)	partition (n)
clôture, la (U1)	closure
cœur de cible, le (U1)	core target
cohésion des équipes, la (U1)	team cohesion

colis, une (U2)	parcel (n)
collectif, un (U2)	collective
collectivement (U2)	collectively
collectivité territoriale, une (U8)	regional community
colportage, le (U3)	door-to door selling
commerce équitable, le (U2)	fair trade
commercialiser un produit (U1)	to market a product
commettre une erreur (U7)	to commit an error
commission européenne, la (U8)	European Commission
commission, une (U1)	committee
communiqué de presse, un (U3)	press release
community manager, un (U3)	*community manager*
compagnie aérienne, la (U7)	airline
compagnie d'assurance, une (U8)	insurance company
comparateur, une / essai comparatif, un (U8)	comparator / comparative test
compatibilité, la (U10)	compatibility
compenser (U9)	to compensate
compétitivité, la (U8)	competitiveness
compte de résultat (CR) le (U9)	profit and loss account
comptoir d'enregistrement, le (U7)	check-in desk
comptoir, un (U3)	desk)
concentration, la (U6)	concentration
concentré de, un (U4)	concentrate (n)
concept, un (U2)	concept
concepteur, un / conceptrice, une (U8)	designer
conclure un marché (U7)	to conclude a contract
concurrentiel(le) (U1)	competitive
condition tarifaire, une (U7)	pricing terms
conduite du changement, la (U6)	change management
confidentialité, la (U8)	confidentiality
conjointement (U6)	jointly
conjoncturel(le) (U2)	cyclical
consciencieux / consciencieuse (U2)	conscientious
conseiller après-vente, un (U5)	after-sales advisor
conseiller, un (U3)	advisor
consolider (U7)	to consolidate
constatation, une (U5)	finding
consulting, le (U6)	consultancy
contentieux, un (U8)	dispute
contrasté(e) (U9)	contrasting
contrat de licence, un (U10)	licence
contrepartie, une (U2)	counterparty
contre-productif / contre-productive (U9)	counter-productive
contribuable, un (U8)	taxpayer
contributeur, un (U10)	contributor
contribution, une (U8)	contribution
convention, une (U6)	agreement
convivialité, la (U6)	friendliness
coopérative, une (U2)	cooperative (n)
corruption, la (U8)	corruption
coup de cœur, un (U3)	favourite
coupable / coupable, un(e) (U9)	culprit
cours, le (U2)	rate
coût de revient, un (U2)	cost price
coûteux / coûteuse	costly
créances clients, les (U9)	accounts receivable
créatif / créative (U3)	creative
crédibilité, la (U10)	credibility
créer des tensions (U1)	to create tensions
crise des *subprimes*, la (U9)	*subprime* crisis
cross-canal, le (U2)	cross-channel
crowdsourcing, le (U8)	*crowdsourcing*
crucial(e) (U6)	crucial

Lexique

Lexicon

culture d'entreprise, la (U10) — enterprise culture
culture numérique, la (U10) — digital culture
cumuler des petits boulots (U9) — to collect small jobs

D

D

deal, un (U7) — deal (n)
débouchés, des (U8) — outlets
débriefing, un / débrief, un (U4) — debriefing
déclarer / déclarer en ligne (U7) — to declare / declare on-line
décourager (U5) — to discourage
décrocher un contrat (U10) — to win a contract
dédier à (U3) — to dedicate to
dédommagement, un (U7) — compensation
dédouanement, le (U2) — customs clearance
défaillance, une (U7) — failure
déficit, un (U9) — deficit
dégraissage, le (U8) — rundown
dégringoler (U9) — to collapse
délai d'exécution, un (U8) — execution deadline
délai serré, un (U2) — tight deadline
déliter, se (U6) — to split
délocaliser (U3) — to relocate
démarche qualité, une (U5) — quality strategy
démarquer, se (U3) — to differentiate
démener, se (U5) — to struggle (v)
démotivation, la (U6) — demotivation
démultiplier (U2) — to leverage (v)
dénigrer (U5) — to denigrate
dépannage, un (U5) — repair (n)
dépendre de (U2) — to depend on
déployer (U6) — to deploy
dérangement, un (U6) — disturbance
dérapage, un (U8) — slippage
dérive, une (U2) — drift
dérober, se (U7) — to shirk
dérogatoire (U8) — exceptional
déséquilibre structurel, un (U9) — structural imbalance
désespérer (U7) — to despair (v)
desservir (U7) — to serve
détermination, la (U10) — determination
détresse psychologique, la (U6) — psychological distress
dette, une (U9) — debt
développement durable, le (U8) — sustainable development
dévoué(e) (U2) — devoted
discriminatoire (U2) — discriminatory)
disponible ≠ indisponible (U2) — available ≠ unavailable
disposer d'un droit de (U8) — to have a right to
disposer de (U2) — to have
dispositif publi-promotionnel, un (U3) — advertising-promotional mechanism
dispositif, un (U6) — mechanism
disposition, un (U2) — provision
distributeur, un (U3) — distributor
distribution, la (U2) — distribution
doctorat, un (U10) — doctorate
document comptable, un (U9) — accounting document
domaine d'intérêt, de compétence, (U10) — area of interest, of expertise un
domaine peu exploité, un (U9) — underexploited area
dominical(e) (U8) — Sunday
dommage, un (U8) — damage

donnée publique, une (U8) — public data
donnée, une (U1) — data
donner satisfaction (U5) — to satisfy
doute, un (U10) — doubt (n)
droit du travail, le (U6) — labour law
drone, un (U2) — drone
dysfonctionnement, un (U5) — malfunction (n)

E

E

échantillonnage, un (U3) — sampling
éclatement de la bulle, l' (U9) — bursting of the bubble
écran tactile, un (U1) — touch screen
édition limitée, spéciale..., une (U3) — limited, special edition
effectuer (U7) — to carry out
effectuer une commande (U2) — to fulfil an order
effectuer une déclaration (U7) — to make a declaration
effet à court terme, une (U3) — short-term effect
effet de levier, un (U9) — leverage effect
efficacement (U7) — effectively
efficacité, l' (U5) — efficiency
emballage, l' (U5) — packaging
emblée, d' (U6) — from the outset
embouteillage, l' (U8) — bottle neck
émergence, l' (U9) — emergence
emplacement, un (U3) — location
emprunter / un emprunt (U9) — to borrow / a loan
émulation, une (U1) — emulation
en circuit fermé (U8) — in a closed circuit
en faire plus (U6) — to do more
en priorité (U5) — priority
en profiter pour (U1) — to benefit for
en provenance de (U7) — arriving from
en réparation de (U5) — in compensation for
enclencher un processus (U10) — to start a process
encourir (U8) — to incur
endommagé(e) (U5) — damaged
engagement, l' (U1) — commitment
engager à, s' (U5) — to undertake to
engendrer (U6) — to cause (v)
engin, un (U2) — machinery
enquête de satisfaction, une (U1) — satisfaction survey
enquête, une (U5) — survey
enregistrer un bagage (U7) — to check-in luggage
enseigne, une (U3) — brand
entassement, un (U6) — stacking
entente commerciale, une (U8) — commercial agreement
entité, une (U6) — entity
entraver (U2) — to hinder
entrepôt, un (U2) — warehouse
entreprendre une démarche (U8) — to undertake a strategy
envergure, une (U1) — scope
épargnant(e), un(e) (U9) — saver
épineux / épineuse (U10) — thorny
équilibre, un (U6) — balance
équitable (U8) — fair
e-réputation, une (U3) — e-reputation
ergonomie, une — ergonomics
escale, une (U7) — stopover (n)
espace détente, restauration..., un (U3) — relaxation, restaurant area...,
espace vip, un (U3) — VIP area
esprit d'initiative, l' (U10) — spirit of initiative
estival(e) (U5) — summer

établir un plan (U1)	to establish a plan
établissement de crédit, de paiement, un (U8)	credit, payment institution
état financier, un (U9)	financial state
étiquette, une (U7)	label (n)
être compris ≠ être en supplément (U3)	to included ≠ as a supplement
être concerné(e) (U8)	to be concerned
être confronté(e) à des préjugés (U10)	to be faced with prejudices
être déboussolé(e) (U10)	to be confused
être dépassé(e) par (U1)	to be overtaken by
être désolé(e) (U5)	to be sorry
être déstabilisé(e) (U10)	to be destabilised
être doté(e) de (U1)	to be equipped with
être en capacité de (U2)	to be able to
être en fin de droits (U9)	one's rights have expired
être en pleine expansion (U9)	to be in full expansion
être en première ligne (U5)	to be in the front line
être équilibré(e) (U9)	to be balanced
être favorable (U10)	to be favourable
être garanti(e) (U5)	to be guaranteed
être immatriculé(e) (U8)	to be registered
être investi(e) (U1)	to be invested
être invité(e) à se rendre (U7)	to be invited to visit
être leader (U1)	to be a leader
être mis(e) à l'écart (U1)	to be side-lined
être motivé(e) (U10)	to be motivated
être palettisé(e) (U2)	to be palletised
être perçu(e) (U10)	to be perceived
être percutant(e) (U4)	to be compelling
être persuadé(e) (U7)	to be persuaded
être soucieux de (U3)	to be conscious of
être touché(e) par (U1)	to be touched by
être victime de (U5)	to be a victim of
étroit(e) (U9)	narrow
étude comparative, une (U1)	comparative study
évaluation, une (U10)	evaluation
évaluer (U9)	to assess
évènementiel, l' (U3)	event driven
excédent de bagage, un (U7)	excess baggage
excédent, un / être en excédent (U9)	excess / be in surplus
expert, un (U6)	expert
expertise, une (U6)	expert examination
exponentiel(le) (U3)	exponential
exporter / exportation, une (U9)	to export (v) / export (n)
exposant, un (U3)	exhibitor
exposer (U3)	to exhibit (v)
extraire (U6)	to extract (v)

F

face à face, un (U3)	face to face
faciliter (U2)	to facilitate
faible teneur, une (U3)	low content
faire exprès de (U5)	to do on purpose
faire partie du jeu (U4)	to play the game
faire une place (U5)	to make a place
faire voler la vedette, se (U10)	to steal the show
fauteuil ergonomique, un (U6)	ergonomic chair
fauteuil roulant, un (U7)	wheel chair
ferrer (U4)	to shoe (v)
fiable (U6)	reliable

fiche technique, la (U7)	technical data sheet
fidèl(e) (U5)	faithful
fidélisation, la (U1)	gaining the loyalty of
fidéliser (U3)	to gain the loyalty of
fierté, la (U9)	pride
filière, une (U2)	industry
financer (U9)	to finance (v)
fixation, la (U2)	fixing
flagrant(e) (U8)	deliberate
flash mob, un (U3)	flash mob
flotte, une (U2)	fleet
flou, le (U6)	fuzziness
fluctuant(e) (U9)	fluctuating
flux, un (U9)	flow
flyer, un (U4)	flyer
fondateur, un / fondatrice, une (U10)	founder
fontaine, une (U8)	fountain
force de vente, la (U1)	sales force
forcer la main (U7)	to force someone's hand
forfait, un (U3)	fixed price
formaliser (U5)	to formalise
formaliser une demande (U10)	to formalise a request
formalité, une (U7)	formality
formulaire, un (U7)	form (n)
forum, un (U3)	forum
fraude, une (U2)	fraud
fréquentation, la (U4)	attendance
fret, le (U2)	freight
fructueux / fructueuse (U1)	fruitful
fusion-acquisition, la (U6)	merger-acquisition
fusionner (U8)	to merge

G

gadget, un (U6)	gadget
gagnant(e) / perdant(e) (U4)	winner / loser
gain de productivité, un (U6)	productivity gain
gamberger (U6)	to dream up
gamification, la (U10)	gamification
générer (U3)	to generate
générer du trafic (U4)	to generate traffic
génie chimique, le (U10)	chemical engineering
géolocalisation, la (U8)	geolocation
gérer une clientèle (U1)	to manage clientele
global(e) (U6)	global
globalité, la (U2)	global nature
goodies, des (U3)	goodies

H-I

hôtesse d'accueil, une (U3)	receptionist
identifier (U6)	to identify
identité numérique, une (U3)	digital identity
immédiat(e) (U7)	immediate
imminent(e) (U8)	imminent
implantation, une (U7)	establishment
import ≠ export (U2)	import ≠ export
importer / importation, une (U9)	to import (v) / import (n)
imposer / affirmer autorité (U10)	to impose / to affirm one's son authority
impôt, l' (U9)	tax

Lexique

Lexicon

improvisation, l' (U6) — improvisation
inadaptation, l' (U6) — unsuitability
incentive (U1) — incentive
incident de paiement, un (U8) — payment incident
incident, un (U5) — incident
incitation, une / inciter (U3) — incentive / incentivise
incriminer (U8) — to incriminate
incubateur, un (U10) — incubator
indemniser / une indemnité (U6) — to compensate / compensation
indice das, l' (U1) — DAS index
individualiser (U2) — to individualise
induit(e) (U6) — induced
inégalité, l' (U8) — inequality
inespéré(e) (U4) — unhoped-for
infliger (U8) — to inflict
influence, une (U3) — influence (n)
information comptable, une (U8) — accounting information
informel(le) / formel(le) (U4) — informal / formal
ingrédient, un (U7) — ingredient
injection de liquidités, une (U9) — injection of liquidity
innovant(e) (U3) — innovative
innovation, l' (U1) — innovation
insérer (U3) — to insert
insertion, l' ≠ exclusion, l' (U8) — insertion≠ exclusion
insidieux / insidieuse (U6) — insidious
inspiration graphique, une (U3) — inspiration graph
instance de régulation, une (U8) — regulatory body
institution financière, une (U9) — financial institution
intacte (U5) — intact
intention, une (U4) — intention
interactif / interactive (U2) — interactive
intérêt perçu, un (U9) — perceived interest
intérêt sur emprunt, un (U9) — interest on a loan
intermédiaire, un (U2) — intermediary
interpersonnel(le) (U10) — interpersonal
intrusion, une (U6) — intrusion
inventif / inventive (U5) — inventive
investir un lieu (U3) — to invest a place
investir, s' (U10) — to invest
investissement, un (U5) — investment

J

J

jalousie, la (U6) — jealousy
jouer carte sur table (U10) — to put one's cards on the table
jouer le jeu (U1) — to play the game
jugement, un (U8) — judgement
jurisprudence, la (U8) — jurisprudence
justificatif, un (U7) — supporting evidence

K-L

K-L

kakémono, un (U4) — hanging banner
kit, un (U3) — kit
krach, un (U9) — crash
label, un (U2) — label (n)
lancer un produit (U1) — to launch a product
lancer un site (U9) — to launch a site

lancer, se (U9) — to launch (v)
leader d'opinion, un (U3) — opinion leader
leader, le (U9) — leader
législation, la (U3) — legislation
libre jeu, le (U2) — free game
libre-accès, le (U8) — free access
licencier / licenciement, un (U6) — to lay off / dismissal
liquidation, une (U2) — liquidation
liquider (U5) — to liquidate
livrer les ficelles (U4) — to give away the tricks of the trade

lobby, un (U8) — lobby
logistique (U2) — logistics
logistique, la (U5) — logistics
logo, un (U3) — logo
lu et approuvé (U8) — read and approved
lucidité, la (U9) — lucidity
ludique (U1) — entertaining
luxe, le (U9) — luxury

M

M

maintenir la rentabilité (U9) — to maintain profitability
manque de considération, un (U5) — lack of consideration
marchandise, une (U5) — goods
marché de niche, un / niche, une (U9) — niche market / niche
marché porteur, un (U9) — growth market
marché public, un (U8) — public contract
marge, une (U9) — margin
marketing viral, le (U3) — viral marketing
marquage, un (U3) — marking
marque, une (U3) — brand (n)
matière première, la (U2) — raw material
maturité, la (U10) — maturity
mécanisme (U9) — mechanism
mécontent(e) (U5) — dissatisfied
média, un (U3) — media
médiatisation, la (U6) — media coverage
ménages, les (U9) — households
mensuel(le) / hebdomadaire / quotidien(ne) (U8) — monthly / weekly / daily
mettre du beurre dans les épinards (U9) — to earn a little bit extra
mettre en évidence (U6) — to highlight
mettre en place (U3) — to set up (v)
mettre l'accent sur (U3) — to emphasize
mieux-être, le ≠ mal-être, le (U6) — well-being ≠ ill-being
mine d'or, une (U9) — gold mine
minimum / maximum (U3) — minimum / maximum
miracle, une (U10) — miracle
mise en avant, la (U1) — emphasis
mise en concurrence, la (U8) — competition
mise en conformité, une (U8) — compliance
mobilier, le (U3) — furniture
modèle économique, un (U2) — economic model
moment clé, un (U7) — key moment
moquette, la (U3) — carpet
morosité, la (U9) — sullenness
motiver (U1) — to motivate
multi-facettes (U5) — multi-faceted
munir de, se (U7) — to equip oneself with

Lexique

Lexicon

N

navette, la (U6)	shuttle
net / brut (U9)	net / gross
nier (U6)	to deny
norme, une (U7)	standard
notable (U1)	notable
notification, une (U8)	notification
notoriété, la (U3)	reputation
nouer des partenariats (U8)	to build partnerships
nuisible (U10)	harmful
numéro de suivi, un (U7)	tracking number

O

obligation fiscale, une (U8)	tax obligation
obligation, une (U6)	obligation
observatoire, un (U8)	observatory
obstacle, un (U2)	obstacle
obtenir gain de cause (U2)	to be proved right
obtention, l' (U3)	obtaining
occasionnel(le) (U2)	occasional
occasionner un retard (U7)	to cause a delay
octroi d'une aide, l' (U8)	grant aide
offensive, une (U6)	offensive (n)
offre promotionnelle, une (U2)	promotional offer
open data, l' (U8)	open data
opération spéculative, une (U9)	speculative transaction
opérationnel(le) (U5)	operational
opinion, une (U3)	opinion
opportunités d'évolution, des (U10)	development opportunities
optimiser (U9)	to optimise
optimisme, l' (U9)	optimism
optique / un opticien, l' (U2)	optics / optician
organisme certificateur, un (U2)	certifying body
organismes sociaux, les (U9)	social agencies
orienter (U4)	to orient

P

packaging, le (U3)	packaging
palette, une (U2)	pallet
panique, la (U9)	panic
panoplie d'actions, une (U4)	range of actions
par rapport à (U9)	as compared with
parcours, un (U10)	career
pari risqué, un (U3)	risky bet
partenaires sociaux, les (U6)	social partners
partenariat, un (U10)	partnership
parti pris, un (U3)	bias
particulier, un professionnel, un (U1)	private individual ≠ ≠ professional
partie prenante, une (U8)	stakeholder
passagers, les (U7)	passengers
passation, la (U8)	signing
passeport, un (U7)	passport
passer le cap (U6)	to overcome
passif, le / l'actif, l' (U9)	liability / asset
patrimoine, le (U9)	assets
pays créditeur, un (U9)	creditor country

pays de résidence, le (U7)	country of residence
pays débiteur, un (U9)	debtor country
peaufiner (U4)	to refine
pénalement (U2)	criminally
pensée visuelle, la (U5)	visual thinking
percutant(e) (U3)	hard-hitting
performant(e) (U1)	effective
périmètre, une (U2)	perimeter
permanence, une (U3)	permanence
persistant(e) (U9)	persistent
persister (U5)	to persist
personnaliser (U4)	to customise
perte, la (U7)	loss
pertinence, la (U8)	relevance
phénomène, un (U3)	phenomenon
piloter (U5)	to coordinate
pire, le (U3)	worst
placement, le (U1)	placement
plaider (U8)	to plead
plaindre, se (U1)	to complain
plaisanterie de potache, une (U10)	schoolboy prank
plan d'action commerciale, le (U1)	commercial action plan
plan de communication, un (U3)	communication plan
plan social, un (U6)	social plan
plateforme de télémaintenance, une (U5)	remote maintenance platform
plateforme, une (U2)	platform
pli cacheté, un (U8)	sealed envelope
plus-value, une (U9)	capital gain
PLV (publicité sur le lieu de vente), une (U4)	point of sale advertising
pôle d'attraction, un (U3)	magnet
pôle, un (U1)	cluster (n)
politique commerciale, une (U5)	commercial policy
polyvalent(e) (U5)	versatile
ponctuel(le) (U2)	one-off
ponctuer (U1)	to punctuate
porte d'embarquement, la (U7)	boarding gate
porte-à-porte, le (U2)	door-to-door
porter préjudice à (U5)	to prejudice (v)
porter ses fruits (U9)	to bear fruit
porter un regard critique (U10)	to take a critical look
porter volontaire, se (U6)	to volunteer
positionner (U1)	to position (v)
positionner, se (U2)	to position oneself
postérieur(e) (U1)	later
posture d'écoute, une (U6)	listening posture
potentiel(le) (U4)	potential
potentiel, un (U3)	potential
potentiellement (U10)	potentially
pratique abusive, une (U8)	abusive practice
pratique anticoncurrentielle, une (U2)	anti-competitive practice
préalable (U1)	prior
préjudiciable (U8)	prejudicial
prendre connaissance de (U5)	to become familiar with
prendre de la hauteur (U6)	to gain height
prendre en charge (U2)	to take care of
prendre en charge, se (U10)	to take responsibility for oneself
prendre en compte (U5)	to take into account
prendre les mesures nécessaires (U5)	to take the necessary measures
prendre part à un événement (U4)	to take part in an event
prendre sur ses économies (U9)	to draw upon one's savings
présentoir, un (U3)	display
prestataire, un (U8)	contractor
prestation de service, une (U4)	performance of a service

Lexique

Lexicon

prestation, une (U5) — service (n)
prêt immobilier, un (U9) — property loan
prévention, la (U6) — prevention
prévisionnel(le) (U8) — projected
primordial(e) (U1) — paramount
principe, un (U8) — principle
prioriser les informations (U6) — to prioritise information
privilégier (U6) — to prefer
prix d'appel, un (U2) — loss-leader price
prix promo, un (U2) — promotional price
prix psychologique, le (U2) — psychological price
proactif / proactive (U3) — proactive
procédure, une (U8) — procedure
process, un (U1) — process
producteur, une / productrice, une (U2) — producer
produire, se / se reproduire, se (U5) — to happen / to happen again
produit d'exploitation, un (U9) — operating income
produit fini, un (U9) — finished product
produit low-cost, une (U2) — low-cost product
produit phare, un (U3) — flagship product
programme d'alphabétisation, une (U8) — literacy program
prohibé(e) (U2) — prohibited
projet de loi, un (U2) — draft bill
projeter, se (U1) — to fall
promesse, une (U2) — promise
promotion interne, la (U5) — internal promotion
promouvoir (U3) — to promote
propager / propagation, la (U3) — to spread / propagation
propre à (U6) — likely to
prospect, un (U3) — prospect
prospérité, la (U9) — prosperity
provision, une (U9) — provision
provisoire (U8) — provisional
psychique (U6) — psychic
publiciste, un / publicitaire (U3) — advertising agent, advertising

Q-R

Q-R

quai, le (U7) — dock
qualification, une (U6) — qualification
qualifié(e) (U1) — qualified
qualité de vie, la (U6) — quality of life
quote-part, une (U9) — share
racheter / rachat, un (U6) — to buy back (v) / buying back (n)
rampant(e) (U6) — creeping
rampe d'accès, une (U7) — access ramp
rappel de produit, un (U8) — product recall
rapporter de l'argent (U9) — to make money
ravir une place (U1) — to grab a place
rayon outillage, le (U5) — tool section
réactif / réactive (U2) — responsive
réagir (U6) — to react
réalisable (U10) — feasible
réaliste (U10) — realistic
rebondir (U9) — to bounce back
rebooking, le (U3) — *rebooking*
récalcitrant(e), un(e) (U10) — recalcitrant
récapituler (U7) — to recapitulate
récemment (U2) — recently
recenser (U8) — to list (v)

récolter (U4) — to harvest (v)
récolter de l'information (U4) — to gather information
récompenser (U1) — to reward
recouvrir (U9) — to cover
recréer (U6) — to recreate
rectification, une (U8) — correction
reçu, un (U7) — receipt
référencer un site (U9) — to reference a site
référentiel, un (U2) — repository
réfractaire, un(e) (U8) — objector
registre du commerce, le (U8) — trade register
régulation, la (U8) — regulation
relâcher ses efforts (U1) — to relax one's efforts
relais, une / relayer (U3) — relay (n) / relay (v)
relancer les ventes (U3) — to revive sales
relever un défi (U1) — to respond to a challenge
remaniement, un (U6) — reorganisation
remboursement, un (U5) — reimbursement
renforcer (U6) — to reinforce
rentable (U1) — profitable
repas, un (U7) — meal
répercussion, une (U6) — repercussion
représentant, un (U7) — representative
répressif / répressive (U8) — repressive
réputation, une (U2) — reputation
réserve, une (U3) — reserve
responsable qualité, un(e) (U7) — quality manager
ressort de motivation, un (U10) — motivating force
ressouder des liens (U1) — to repair links
restreint(e) (U10) — restricted
restrictif / restrictive (U2) — restrictive
restructuration, une (U10) — restructuring
résultat d'exploitation, le (U9) — operating profit/loss
rétablir (U7) — to restore
retombée, une (U3) — effect
revanche, une (U2) — revenge
révéler (U3) — to reveal
revente à perte, une (U2) — resale at a loss
revêtement de sol, le (U3) — floor covering
risque, un (U9) — risk
riverain (U8) — resident
robotisé(e) (U5) — automated
robuste (U9) — robust
roulement, un (U1) — bearing
rude (U1) — tough
rumeur, une (U6) — rumour

S

S

saisir une opportunité (U9) — to seize an opportunity
saisonnier / saisonnière (U3) — seasonal
salutaire (U10) — salutary
salvateur (U7) — saving
sanctionner (U2) — to sanction (v)
sans en avoir l'air (U7) — without looking like it
sans encombre (U9) — without incident
sans frais (U7) — without cost
saynètes, des (U6) — playlets
secret professionnel, le (U8) — professional secrecy
secteur de l'audiovisuel, le (U10) — audio-visual sector
sécurisation, la (U2) — securing,
semé d'embûches (U2) — full of pitfalls
séminaire, un (U1) — seminar
sensibiliser (U6) — to raise awareness

Lexique

Lexicon

service après-vente (le sav), le (U5)	after-sales service
service relation client, le (U5)	customer service
session, un (U10)	session
seuil, le (U2)	threshold
sexe faible, le (U10)	the weaker sex
shoppeuse, une (U3)	shopper
signalétique, la (U4)	signage
site pratique, un	practical site
sobre (U7)	plain
société de services, une (U5)	service company
soldes, les / soldé(e) (U2)	the sales / reduced
sollicité(e) (U3)	sought
solvabilité, la (U8)	solvency
solvant, un (U8)	solvent (n)
sophistiqué(e) (U7)	sophisticated
sortir gagnant (U9)	to come out a winner
source de, une (U6)	source of
sous-estimer (U1)	to under-estimate
spécificité, une (U4)	specific feature
spécifique (U10)	specific
speedmeeting, le (U10)	speed meeting
stabiliser (U10)	to stabilise
stand, un (U1)	stand
stimuler (U1)	to stimulate
stockage, le (U2)	storage
stratégie de lancement, une (U1)	launch strategy
street marketing, le (U3)	street marketing
stress, le / stressant(e) (U6)	stress / stressful
structurel(le) (U2)	structural
subir un préjudice (U5)	to suffer prejudice
succéder à (U2)	to succeed
supplément, un (U3)	supplement
surcharge, une (U6)	excess load
surévaluer (U9)	to overstate
surplus, un (U7)	surplus
symptôme, un (U6)	symptom
synergie, la (U1)	synergy
système d'exploitation, un	operating system

T

T

tablette numérique, une (U3)	digital tablet
tablette tactile, une (U2)	touch pad
talent, un (U10)	talent
taux d'intérêt, un (U9)	interest rate
taux de remplissage, le (U8)	filling rate
taxi, une (U7)	taxi
team building (U1)	team building
team development (U1)	team development
téléphonie, la (U5)	telephony
télétravail, le (U6)	remote working
tenace (U10)	tenacious
tendance, une (U9)	trend
terminal, un (U7)	terminal

territoire, un (U9)	territory
textile, le (U5)	textile
thèse, une (U10)	thesis
tirer un bénéfice (U4)	to benefit
tirer vers (U6)	to pull towards
toile d'araignée, une (U10)	spiders web
total, un / totaux, des (U9)	total / totals
tourner en rond (U10)	to go round in circles
tout-connecté, le (U10)	all connected
toxique (U6)	toxic
trafic entrant / sortant, le (U5)	incoming / outgoing traffic
traitement, une (U5)	processing
traiter une plainte, une réclamation (U5)	to process a complaint
transparence, la (U8)	transparency
transversal(e) (U5)	cross-sectoral
trésorerie, la (U9)	cash flow
turnover, un (U6)	*turnover*
tutorat, un (U6)	tutoring

U-V

U-V

usage modéré, un (U1)	moderate use
usager, un / usagère, une (U8)	user
utiliser à des fins (U3)	to use for purposes
validation des acquis de l'expérience (VAE), une (U10)	accreditation of prior experience
valider (U6)	to validate
vecteur d'innovation, une (U8)	focus of innovation
viable (U2)	viable
violation, une (U8)	violation
violer un accord (U2)	to violate an agreement
visa, un (U7)	visa
viser (U3)	to stamp (v)
visibilité, la (U6)	visibility
vision globale, une (U8)	global vision
visualiser (U5)	to view
vivable (U8)	liveable
voie publique, la (U3)	public road
vol aller/retour, un (U7)	return flight
volumineux / volumineuse (U2)	bulky
voucher, un (U7)	voucher
vraisemblablement (U5)	likely
VRP, un (U3)	sales representative

Z

Z

zone euro, la (U9)	eurozone

Imprimé en Italie par Grafica Veneta S.p.A. en mars 2016
N° de projet : 10224368
Dépôt légal : septembre 2014